Wiebke Heuer
Silke Pasewalck
Dieter Neidlinger
Kristine Dahmen

Deutsch als Fremdsprache

Zwischendurch mal ...
Landeskunde

Niveau A2 – B1

Hueber Verlag

Didaktisierung der Texte: Kristine Dahmen

Kopiervorlagen

4. 3. 2. | Die letzten Ziffern
2016 15 14 13 12 | bezeichnen Zahl und Jahr des Druckes.
Alle Drucke dieser Auflage können, da unverändert,
nebeneinander benutzt werden.
1. Auflage

Verlagsredaktion: Valeska Hagner, Hueber Verlag, Ismaning
Umschlaggestaltung, Layout, Satz: Sieveking print & digital, München
Druck und Bindung: Firmengruppe APPL, aprinta druck GmbH, Wemding
Printed in Germany
ISBN 978-3-19-301002-5

FAMILIE UND FREUNDE

MENSCHEN UND ORTE

KLEIDUNG UND AUSSEHEN

GESUNDHEIT

ESSEN UND TRINKEN

SCHULE UND AUSBILDUNG

ARBEIT UND BERUF

KONSUM

NATUR UND UMWELT

REISEN

VERKEHR

FREIZEIT UND SPORT

FESTE

MEDIEN

POLITIK UND GESCHICHTE

(*) einfach
(**) mittel
(***) schwierig

1

Familie im *Wandel*

Vor 100 Jahren war die Familie die wichtigste Form des Zusammenlebens. Familien mit fünf, sechs oder sieben Kindern waren ganz normal. Heute sind die Familien in der Regel viel kleiner. Neben der klassischen Familie sind in den letzten Jahrzehnten verschiedene andere Lebensformen entstanden. Trotzdem ist für die meisten Menschen die Familie weiterhin wichtig. Denn bei Umfragen steht für fast 90% der Bevölkerung die Familie an erster Stelle.

A

B

C

D

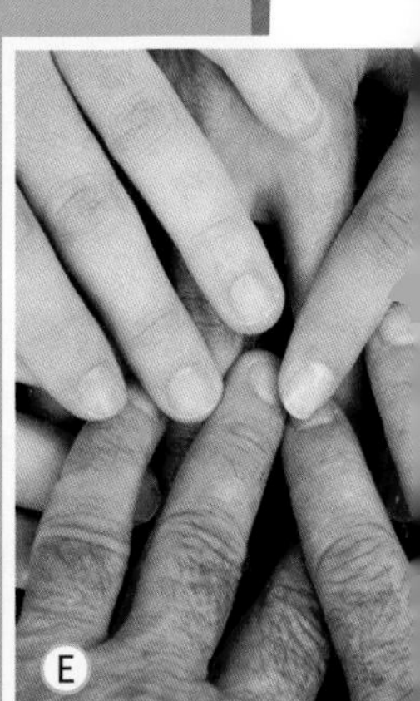
E

Familie im engeren Sinne sind Vater, Mutter und Kinder. Man spricht auch von der Kernfamilie. Erst in einem erweiterten Sinne kommt die Verwandtschaft, das heißt die Großeltern, die Tanten, Onkel, Cousins und Cousinen, hinzu. Wenn man heiratet, sagen die neuen Verwandten, dass man nun zur Familie gehört.

In Deutschland, Österreich und der Schweiz gibt es heute vor allem Familien mit ein oder zwei Kindern. Statt der Großfamilien früherer Zeiten sind solche Kleinfamilien heute üblich.

In Deutschland, Österreich und der Schweiz betrachten sich derzeit fast ein Drittel der Menschen über 14 Jahre als Single. Sie haben also keinen Partner / keine Partnerin und keine feste Beziehung[1]. In Deutschland leben über 20% in einem sogenannten Ein-Personen-Haushalt.

Doch auch von denen, die in einer Partnerschaft leben, wollen oder können nicht alle eine Familie gründen und Kinder bekommen. Deshalb gibt es auch viele kinderlose Beziehungen. So sind beispielsweise in der Schweiz

»(k)eine Familie gründen«

1 Beziehung die, -en: Wenn zwei Menschen sich lieben und vieles miteinander teilen, führen sie eine Beziehung.

1 **Sehen Sie die Fotos an: Woran denken Sie bei dem Wort „Familie"? Sammeln Sie.**

2 **Lesen Sie den Text und ordnen Sie zu.**

a Wenn Eltern mehr als vier eigene Kinder haben,
b Zu einer Kleinfamilie gehören
c Wenn Menschen alleine leben,
d Paare ohne Kinder
e Wenn Paare nicht heiraten wollen,
f Alleinerziehende Väter und Mütter
g In Patchworkfamilien leben Paare
h Eine Frau lebt mit einer Frau zusammen.

☐ Vater, Mutter und ein oder zwei Kinder.
☐ mit Kindern aus unterschiedlichen Beziehungen zusammen.
☐ leben sie in einer Lebenspartnerschaft.
☐ Sie sind ein gleichgeschlechtliches Paar.
☐ leben sie in einer Großfamilie.
☐ nennt man sie „Single".
☐ leben in einer kinderlosen Beziehung.
☐ kümmern sich ohne Partner um ihr(e) Kind(er).

23% der Frauen zwischen 35 und 45 Jahren kinderlos.

Wer eine Beziehung hat und vielleicht sogar Ja zur Familie sagt, der muss trotzdem nicht unbedingt Ja zur Ehe sagen. Einige wollen eine Beziehung und auch Kinder, aber nicht heiraten. Sie bilden eine Lebenspartnerschaft. Entsprechend steigt die Zahl der unehelichen Geburten: In Westdeutschland wird etwa ein Viertel, in Ostdeutschland mehr als die Hälfte der Kinder unehelich geboren.

Doch auch wer heiratet und in einer Ehe lebt, hat keine Garantie für eine lebenslange Bindung[2]. Das Versprechen, bis zum Tod zusammenzuleben, wird immer häufiger gebrochen[3]. In Deutschland, Österreich und der Schweiz werden 40% der Ehen wieder geschieden. Die Scheidungsrate ist also in allen drei Ländern gleich. In der Regel bleiben die Kinder nach einer Scheidung bei einem Elternteil (meist der Mutter). Man spricht von Alleinerziehenden. Mit diesem Wort meint man aber auch all die alleinerziehenden Mütter oder Väter, die nie verheiratet waren. Ein Fünftel aller Lebensgemeinschaften mit Kindern sind Alleinerziehende.

Ein noch junges Wort ist die Patchworkfamilie. Damit bezeichnet man Familien, bei denen ein Elternteil mindestens ein Kind aus einer früheren Beziehung in die neue Familie mitgebracht hat.

Inzwischen können auch gleichgeschlechtliche[4] Paare ihre Beziehungen offen leben. Sie haben sogar einen eheähnlichen rechtlichen Status[5] bekommen. Man spricht dann von einer eingetragenen Partnerschaft.

2 Bindung die, -en: hier: das Zusammenleben
3 ein Versprechen brechen (brach, hat gebrochen): nicht das machen, was man versprochen bzw. vorher gesagt hat
4 gleichgeschlechtlich: zwei Frauen (oder zwei Männer) haben das gleiche Geschlecht
5 einen eheähnlichen rechtlichen Status haben: Gleichgeschlechtliche Partner haben fast dieselben Rechte wie Ehepartner.

Wörter zum Thema

Familie die, -n
Großfamilie die, -n
Kleinfamilie die, -n
Patchworkfamilie die, -n
Verwandte der / die, -n
Verwandtschaft die (Sg.)
Tante die, -n / Onkel der, -
Cousine die, -n / Cousin der, -s
Single der, -s
Beziehung die, -en
Partner der, - / Partnerin die, -nen
Lebenspartner der, - / Lebenspartnerin die, -nen
Partnerschaft die, -en
Ehe die, -n
Scheidung die, -en
Scheidungs-
Scheidungsrate die, -n
Alleinerziehende der / die, -n

verheiratet mit + Dat. / unverheiratet
(nicht) verwandt mit + Dat.
kinderlos
alleinerziehend

heiraten
(k)eine feste Beziehung haben (hatte, hat gehabt)
zusammenleben mit + Dat.
sich scheiden lassen (ließ sich scheiden, hat sich scheiden lassen) von + Dat.

3 Lesen Sie den Text noch einmal und kreuzen Sie an: Was ist richtig, was ist falsch?

	richtig	falsch
a Für die meisten Menschen ist Familie nicht mehr so wichtig.	O	O
b Verwandte wie Cousins und Cousinen gehören zur Kernfamilie.	O	O
c Heutzutage gibt es viele Kleinfamilien.	O	O
d Unehelich geborene Kinder haben keine Eltern.	O	O
e Ehen halten oft nicht lebenslang. Immer mehr Ehen werden geschieden.	O	O
f In 20 Prozent aller Lebensgemeinschaften mit Kindern gibt es nur einen Elternteil.	O	O
g Gleichgeschlechtliche Paare haben jetzt ähnliche Rechte wie Ehepartner.	O	O

4 Welche Lebensformen gibt es in Ihrer Stadt / in Ihrem Dorf / in Ihrem Bekanntenkreis besonders oft? Erzählen Sie.

Über *Freunde* und *Kollegen*

Freund, Partner, Gegner, Feind, Bekannter und Kollege – viele Wörter sagen etwas darüber aus, in welcher Beziehung Menschen zueinander stehen[1]. Erfahren Sie mehr über die Begriffe und lernen Sie dabei auch gleich vier wichtige Figuren aus zwei deutschen Kinder- und Jugendbüchern kennen.

Freunde

„Hast du auch geweint, als Winnetou gestorben ist?" – „Na klar, und wie!" Generationen von deutschen Jungen und Mädchen sind mit den spannenden Romanen von Karl May groß geworden. Vor allem seine Geschichten aus dem Wilden Westen[2] und ganz besonders die Abenteuer mit „Winnetou" gehörten viele Jahrzehnte lang zu den beliebtesten deutschen Jugendbüchern.

»Freud und Leid miteinander teilen«

Auf seiner Reise durch Nordamerika begegnet der Ich-Erzähler dem Apachenhäuptling[3] Winnetou. Zuerst kämpfen sie gegeneinander, doch dann werden sie schnell Freunde. Weil der Deutsche mit seiner Faust[4] so fest zuschlagen kann, dass jeder Feind[5] sofort zu Boden geht, bekommt er den Namen „Old Shatterhand".

Winnetou und Old Shatterhand erleben zusammen viele gefährliche, aber auch viele schöne Situationen: Sie teilen Freud und Leid miteinander. Sie helfen sich, sagen sich ihre Meinung und lassen dem anderen seine Meinung. Für viele Leser sind Winnetou und Old Shatterhand das ideale Beispiel für eine richtige Freundschaft. Deshalb dürfen ausnahmsweise auch „harte Männer" weinen, wenn Winnetou im dritten Band der Erzählung stirbt.

Karl May (1842–1912) ist bis heute einer der bekanntesten deutschen Schriftsteller. Seine Reise- und Abenteuerromane spielen vor allem im Nahen und Mittleren Osten und in Nordamerika. Viele Orte und Landschaften, die in seinen Geschichten vorkommen, kannte er selbst nur aus Büchern.

Freund oder Bekannter?

In manchen Ländern, zum Beispiel in Großbritannien oder in den USA, sagt man oft schon „friend" (Freund) zu jemandem, den man gerade erst kennengelernt hat. In den deutschsprachigen Ländern ist das nicht üblich. Hier unterscheidet man genau zwischen Bekannten und Freunden. Bekannte sind alle, die man kennt. Ein Freund ist mehr: Man kennt ihn besser, man mag ihn besonders und man hat Vertrauen zu ihm.

1 zueinander stehen (standen zueinander, haben zueinander gestanden): hier: welche Beziehung Menschen miteinander haben: Sind sie Freunde oder miteinander verwandt etc.?
2 Wilde Westen der: Region im Westen von Nordamerika zu der Zeit, als die Europäer dorthin kamen
3 Apache der, -n: Indianervolk in Nordamerika; Häuptling der, -e: Anführer, Chef
4 Faust die, ¨-e: Hand, die fest geschlossen ist
5 Feind der, -e: das Gegenteil von Freund

1 Lesen Sie die Zeilen 1 bis 7. Worum geht es im Text? Kreuzen Sie an.

Im Text ...
a ○ geht es um vier verschiedene Kinder- und Jugendbücher.
b ○ werden Wörter wie „Freund" und „Bekannter" am Beispiel von zwei Kinder- und Jugendbüchern erklärt.

2 Lesen Sie die Fragen a–c und den Text. Markieren Sie die Antworten im Text. Vergleichen Sie Ihre Ergebnisse dann im Kurs.

a Welche beiden Kinder- bzw. Jugendbücher werden vorgestellt?
b Wer hat die Bücher geschrieben?
c Wie heißen die Hauptfiguren?

Feinde und Gegner

Feindschaft ist das Gegenteil von Freundschaft. Feinde bekämpfen sich. Sie hassen sich oft und wollen sich gegenseitig besiegen. Gegner hassen sich nicht. Sie sind nur mit bestimmten Zielen und Meinungen des anderen nicht einverstanden. Sie sind das Gegenteil von Partnern.

Kollegen!

„Guten Tag, Lukas!", sagte Jim. „Guten Tag, Kollege!", antwortete Lukas. Jim wusste zwar nicht genau, was dieses Wort bedeutete, aber er verstand, dass es etwas war, was Lokomotivführer[6] zueinander sagten.

Richtig! Kollegen nennen sich Leute, die durch ihre Arbeit miteinander zu tun haben. Sie sind entweder in derselben Firma, arbeiten an demselben Projekt oder haben denselben Beruf. Auch Gewerkschaftsmitglieder[7] sprechen sich gegenseitig als *Kollegen* an.

Jim Knopf und Lukas sind begeisterte Eisenbahner.[8] In Michael Endes berühmtem Kinderbuch „Jim Knopf und die Wilde 13" fahren sie mit ihren Lokomotiven[9] Emma und Molly von einem Abenteuer zum nächsten.

Michael Ende (1929–1995) war einer der wichtigsten und erfolgreichsten deutschen Kinder- und Jugendbuchautoren. Mit seinen Erzählungen von Jim Knopf, Lukas und der Insel Lummerland wurde er in den 1960er-Jahren einem großen Publikum bekannt. Später schrieb er die Romane „Momo" und „Die unendliche Geschichte", die zu internationalen Erfolgen wurden.

6 Lokomotivführer der, -: jemand, der einen Zug fährt

7 Gewerkschaft die, -en: Organisation, die die Interessen von Arbeitern und Angestellten vertritt

8 Eisenbahner der, -: jemand, der für die Bahn arbeitet

9 Lokomotive die, -n: Maschine, die einen Zug bewegt

3 **Was steht im Text? Lesen Sie Zeile 49 bis Zeile 78 noch einmal und kreuzen Sie an.**

a Einen Freund kennt man ○ genauso gut wie ○ besser als einen Bekannten.

b Wenn Menschen verschiedene Meinungen haben, sind sie ○ Gegner ○ Feinde.

c Feinde mögen sich nicht, ○ sie hassen sich ○ sie wollen nur Partner sein.

d Wenn Menschen dasselbe Ziel haben und dieses Ziel zusammen erreichen wollen, sind sie ○ Freunde ○ Partner.

e Wenn Menschen denselben Beruf haben, sind sie ○ Partner ○ Kollegen.

4 ***Freund, Bekannter, Feind, Gegner, Partner oder Kollege …*** **Gibt es diese Wörter auch in Ihrer Muttersprache? Erklären Sie, was die Wörter in Ihrer Muttersprache bedeuten.**

WÖRTER ZUM THEMA

Freund der, -e / Freundin die, -nen
Brieffreund der, -e
Jugendfreund der, -e
Freundschaft die, -en
Feind der, -e / Feindin die, -nen
Feindschaft, -en
Bekannte der/die, -n
Bekanntschaft die, -en
Gegner der, - / Gegnerin die, -nen
Partner der, - / Partnerin die, -nen
Geschäftspartner der / Geschäftspartnerin die, -nen
Kollege der, -n / Kollegin die, -nen
Arbeitskollege der / Arbeitskollegin die, -nen

freundlich / unfreundlich
freundschaftlich
bekannt / unbekannt

kennen (kannte, hat gekannt)
(sich) kennenlernen
(sich) mögen (mochte, hat gemocht)
(sich) hassen
Vertrauen haben zu + Dat.
einverstanden sein mit + Dat.

3

Traumfrau / Traummann aus dem Internet

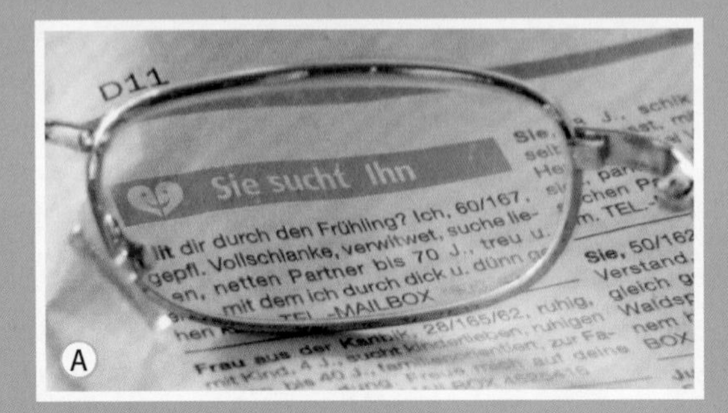

A

1

Früher lernte man sie oder ihn in der Disco, am Arbeitsplatz, auf Partys oder über eine Kontaktanzeige[1] in der Zeitung kennen: die Traumfrau oder den Traummann. Heute geht das auch einfacher. Immer mehr Singles[2] gehen im Internet auf die Suche nach neuen Kontakten oder dem Partner fürs Leben. Heute ist das Flirten[3] per Mausklick längst eine Möglichkeit des Kennenlernens, die von der Gesellschaft akzeptiert wird. Das zeigt eine Studie aus dem letzten Jahr, bei der man 13 000 Singles und Nicht-Singles aus 13 europäischen Nationen im Auftrag einer deutschen Online-Partneragentur[4] befragt hat.

1 Kontaktanzeige die, -n: Anzeige in der Zeitung, über die man jemanden kennenlernen kann
2 Single der, -s: Wenn jemand alleine lebt, nennt man ihn Single.
3 flirten: versuchen, durch Blicke und humorvolle Worte eine (Liebes-)Beziehung zu beginnen
4 Partneragentur die, -en: Firma, die Kontakte zwischen Menschen vermittelt

2

»Single sein«

40% der europäischen Singles haben letztes Jahr im Internet nach einer Partnerin oder einem Partner gesucht. Am aktivsten dabei waren nach den Schweden (50%) die Schweizer (49%), die Deutschen (47%) und die Österreicher (42%). Allein für den deutschsprachigen Raum stehen im Internet über 2500 Single-Gemeinschaften, Partneragenturen, Seitensprung[5]-Agenturen und ähnliche Services zur Verfügung[6]. Ob Tennispartnerin oder Reisebegleitung, jemanden zum Kochen oder Chatten, ob One-Night-Stand[7] oder ernste Beziehung – hier findet man oder „frau" für jede Gelegenheit den richtigen Partner oder die richtige Partnerin.

B

5 Seitensprung der, ¨-e: kurze Liebesbeziehung, die jemand, der einen festen Partner hat, mit einem anderen Partner hat
6 zur Verfügung stehen (stand, hat gestanden): da sein, bereit sein
7 One-Night-Stand der, -s: Liebesbeziehung für eine Nacht

1 **Sehen Sie die Fotos an. Was meinen Sie: Wie und wo kann man seinen „Traummann" / seine „Traumfrau" kennenlernen?**

Ich denke / glaube / vermute, dass einige / viele / die meisten Menschen ihren „Traummann" / ihre „Traumfrau" bei Freunden / in der Arbeit / über das Internet / ... kennenlernen. / Ich könnte mir vorstellen, dass manche Leute auch auf Partys / über eine Kontaktanzeige / ... ihren „Traummann" / ihre „Traumfrau" finden.

2 **Lesen Sie den Text und ergänzen Sie: Welche Aussage passt zu welchem Abschnitt?**

		Abschnitt
a	Sowohl junge als auch ältere Singles finden, dass die Partnersuche im Internet viele Vorteile hat.	___
b	Den meisten Männern und Frauen ist es am wichtigsten, dass ihr Partner einen guten Charakter hat.	___
c	Vor allem in Deutschland, Österreich und in der Schweiz nutzen viele Singles die Angebote von Partnervermittlungen im Internet.	___
d	Eine Studie zeigt: In Europa lernen sich die Leute immer öfter über das Internet kennen.	___

3

30 Mehr als die Hälfte der deutschen Singles wünschen sich allerdings eine längere Partnerschaft. Nicht nur die 35 jungen, sondern vor allem auch ältere Singles zwischen 40 und 59 Jahren meinen, dass das Internet große 40 Chancen bietet, einen passenden Partner oder eine passende Partnerin zu finden. Besonders gefällt ihnen die Möglichkeit, Kontakte zu Menschen aus der ganzen Welt zu knüpfen[8] und mit anderen Menschen 45 zu kommunizieren, egal zu welcher Tages- oder Uhrzeit. Außerdem finden es viele Leute gut, dass sie erst einmal anonym[9] bleiben können, wenn sie jemanden im Internet „treffen".

4

Und welche Eigenschaften sollte der Traum-50 mann oder die Traumfrau besitzen? Für die meisten Singles in den deutschsprachigen Ländern ist – folgt man der Studie – vor

allem wichtig, dass ihr zukünftiger Partner ehrlich, treu, offen, zuverlässig, humorvoll und 55 optimistisch ist. Viele Männer mögen außerdem Frauen, die gut organisieren können. Einige Single-Männer träumen von einer jüngeren Partnerin oder sehen es gern, wenn die Frau nicht arbeitet, sondern sich um den 60 Haushalt kümmert. Frauen dagegen sind oft sehr selbstständig und suchen auf keinen Fall einen männlichen Beschützer[10].

8 Kontakte (Kontakt) knüpfen: zu jemandem Kontakt aufnehmen
9 anonym bleiben (blieb, ist geblieben): wenn eine Person möglichst unbekannt bleiben möchte und ihren Namen und die Adresse nicht weitergeben will

10 Beschützer der, -: eine Person, die auf eine andere Person gut aufpasst

3 Lesen Sie den Text noch einmal und ergänzen Sie: Wo steht das im Text?

a Weil man nicht gleich alles von sich erzählen muss, gefällt es vielen, andere Leute erst einmal nur im Internet kennenzulernen. Zeile ____ bis ____
b Viele Frauen mögen es nicht, wenn Männer denken, dass sie (die Männer) auf sie (die Frauen) aufpassen müssen. Zeile ____ bis ____
c Wer im Internet sucht, kann nicht nur einen Liebespartner, sondern auch Leute zum Sportmachen, Kochen, Diskutieren oder Reisen finden. Zeile ____ bis ____
d Die meisten Leute finden es heute normal, wenn man einen Partner oder eine Partnerin über das Internet sucht. Zeile ____ bis ____

4 Hat jemand aus Ihrer Familie oder aus Ihrem Freundeskreis schon einmal jemanden im Internet kennengelernt? Erzählen Sie.

WÖRTER ZUM THEMA

Mann der, ¨-er / Frau die, -en
Traummann der, ¨-er / Traumfrau die, -en
Partner der, - / Partnerin die, -nen
Partnerschaft die, -en
Partneragentur die, -en
Single der, -s
Kontakt der, -e
Kontaktanzeige die, -n
Internet das (Sg.)

aktiv / passiv
richtig / falsch
passend / unpassend
ehrlich / unehrlich
treu / untreu
offen / verschlossen
zuverlässig / unzuverlässig
humorvoll / humorlos
optimistisch / pessimistisch

(sich) kennenlernen
suchen nach + Dat.
sich wünschen
träumen von + Dat.
Kontakte knüpfen zu + Dat.
kommunizieren mit + Dat.

4

König Ludwig II. – *ein Märchenkönig*

Ein König lebt in einem schönen Schloss, isst von goldenen Tellern und schläft in goldenen Betten – zumindest im Märchen[1] ist das so. König Ludwig II., der „Märchenkönig", hat wirklich so gelebt. Viele Menschen möchten das sehen. Deshalb besuchen jedes Jahr über eine Million Menschen aus der ganzen Welt das Schloss Neuschwanstein.

B

Ludwig II. wird 1845 im Schloss Nymphenburg bei München geboren. Sein Vater ist der bayerische König Max II. Er stirbt 1864. Da ist Ludwig 18 Jahre alt und wird jetzt König. Er möchte ein Märchenkönig sein oder wie der französische Sonnenkönig Ludwig XIV. vor 200 Jahren leben. Aber die Realität ist anders, Industrie und Wirtschaft bringen neue Zeiten und brauchen andere Ideen.

Ludwig II. gefällt das nicht. So will er nicht regieren[2], das sollen seine Minister[3] machen. Für seine Rolle als „Märchenkönig" braucht er kein Volk und kein Kabinett[4]. Er möchte in seiner eigenen Welt, in einer Fantasiewelt leben und baut drei Schlösser: Schloss Linderhof, Schloss Neuschwanstein und Schloss Herrenchiemsee. Er gibt viel Geld aus. Die besten Handwerker[5] arbeiten für ihn. Das Material ist sehr schön, aber auch sehr teuer.

»in seiner eigenen Welt leben«

Ludwig lebt allein. Er mag nur Kunst, Musik und Schönheit. Andere Menschen findet er langweilig. Er will sie überhaupt nicht sehen: Also schläft er am Tag. In der Nacht ist er wach und

1 Märchen das, -: Geschichten, wie zum Beispiel „Rotkäppchen und der Wolf", „Schneewittchen", „Hänsel und Gretel", die man vor allem Kindern vorliest

2 regieren: politische Entscheidungen treffen

3 Minister der, -: Politiker. Es gibt Familienminister, Arbeitsminister, Finanzminister etc.

4 Kabinett das, -e: alle Minister in einer Regierung

5 Handwerker, der, -: Handwerker arbeiten vor allem mit ihren Händen.

1 **Sehen Sie die Fotos an und lesen Sie die Überschrift. Was meinen Sie: Worum geht es in dem Text?**

Ich glaube / denke, in dem Text geht es um … .
Das Schloss / Der Mann / auf dem ersten / zweiten / dritten Bild ist … .

2 **Lesen Sie den Text und ergänzen Sie die Informationen.**

Name?
Wann und wo geboren?
Wann und wo gestorben?
Wo gelebt?
Interessen?

D

fährt in goldenen Schlitten[6] oder Kutschen[7] durch sein Land. Seine Diener[8] fahren das Essen auf einem Tisch ins Zimmer. Sie tragen Masken[9] – so muss er kein hässliches Gesicht sehen.

Die Menschen mögen ihren „Kini“, ihren König. Die Minister und andere wichtige Politiker aber nicht. Im Juni 1886 sagen Leute aus der Regierung: Der König ist verrückt, er ist nicht normal. Er darf nicht mehr König sein. Man bringt ihn zum Schloss Berg am Starnberger See. Vier Tage später findet man ihn im Wasser. Er ist tot. War es ein Unfall? Keiner weiß es, und bis heute hat man keine Antwort.

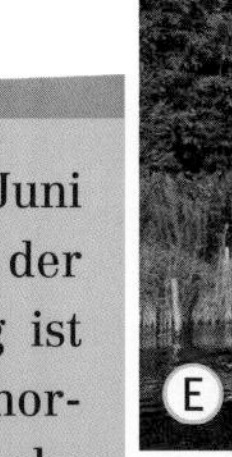

E

„Nie soll ein Fremder die Schönheiten meiner Schlösser sehen.“ – Das war der Wunsch von Ludwig II. Heute warten in Neuschwanstein täglich manchmal 8000 Besucher, essen Eis oder Popcorn und fotografieren. Die Märchenschlösser haben dem Märchenkönig kein Glück gebracht, aber für den Tourismus in Bayern sind sie sehr gut.

6 Schlitten der, -: Mit einem Schlitten fährt man im Winter auf dem Schnee.
7 Kutsche die, -n: Heute fährt man mit dem Auto, früher ist man mit einer Kutsche gefahren.
8 Diener der, -: Diener sind Angestellte. Sie arbeiten für reiche Leute.
9 Maske die, -n: Man trägt eine Maske vor dem Gesicht, zum Beispiel im Theater oder im Karneval.

WÖRTER ZUM THEMA

König der, -e / Königin die, -nen
Märchenkönig der, -e
Sonnenkönig der, -e
Schloss das, ¨er
Märchenschloss das, ¨er
Regierung die, -en
Minister der, - / Ministerin die, -nen
Politiker der, - / Politikerin die, -nen
Volk das, ¨er
Besucher der, - / Besucherin die, -nen

hässlich / schön
teuer / billig
langweilig / interessant
verrückt / normal
tot / am Leben, lebendig

geboren werden (wurde, ist geworden) in + Dat.
König werden (wurde, ist geworden)
König sein (war, ist gewesen)
sterben (starb, ist gestorben)

3 Lesen Sie den Text noch einmal und kreuzen Sie an: Was steht im Text?

Viele Menschen kennen Ludwig II.,
a ○ denn er wurde schon mit 18 Jahren König.
b ○ denn er hat viele schöne Schlösser gebaut.

Ludwig II. macht nicht gerne Politik,
c ○ denn er muss ohne Minister und Kabinett regieren.
d ○ denn er findet andere Dinge viel interessanter.

König Ludwig II.
e ○ ist nicht gern mit Menschen zusammen.
f ○ arbeitet Tag und Nacht.

Die Menschen mögen König Ludwig II.,
g ○ denn er feiert tolle Feste.
h ○ aber die Regierung ist gegen ihn.

Viele Leute besuchen heute die Schlösser.
i ○ Ludwig II. wollte das aber gar nicht.
j ○ Man kann dort nämlich gutes Eis essen und schöne Fotos machen.

4 Hat es in Ihrem Land früher auch einen interessanten Politiker / König oder eine interessante Politikerin / Königin gegeben? Erzählen Sie.

Wer war er / sie? Wann hat er / sie gelebt? Wo hat er / sie gelebt?
Was hat er / sie gemacht? Warum war er / sie besonders? Wie ist er / sie gestorben?

5

Drei berühmte *Kaffeehäuser*

»einen Kaffee trinken gehen«

Man sitzt an kleinen Tischen, bestellt etwas zu trinken und genießt die angenehme Atmosphäre – und natürlich die Torten und Kuchen. In Cafés oder Kaffeehäusern ist es einfach gemütlich. In Deutschland, Österreich und der Schweiz gibt es sie in jeder Stadt, denn viele Menschen gehen gerne Kaffee trinken. Einige dieser Cafés sind sehr berühmt und haben eine lange Geschichte und große Tradition.

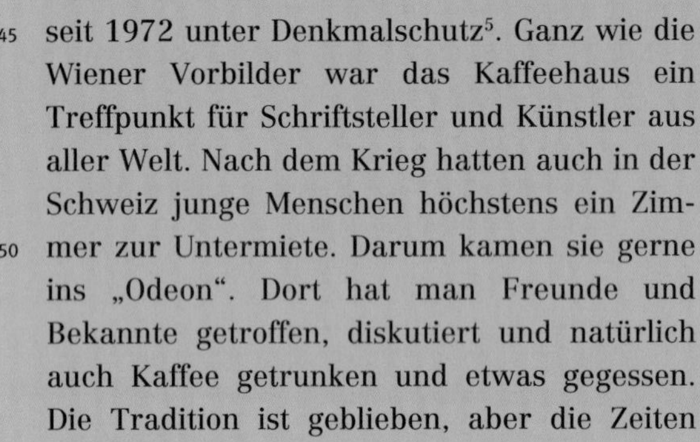

Zum Beispiel das **Café Hawelka** in Wien. Seine zentrale Lage macht das 1939 eröffnete Kaffeehaus zu einem idealen Treffpunkt für die Wiener. Das war besonders nach dem Krieg, also nach 1945, wichtig. Die Stadt war geteilt, viele Häuser waren kaputt und hier war ein Ort mit einer warmen und guten Atmosphäre. Für viele Schriftsteller und Intellektuelle wurde das „Hawelka" ein zweites Zuhause. Aber auch heute noch kommen viele Künstler[1], Schriftsteller[2] und Musiker hierher, auch Politiker und Journalisten[3]. Und natürlich sieht man viele Touristen. Sie möchten berühmte Leute sehen und sich zu ihnen setzen. Berühmt oder nicht berühmt – Herr Hawelka begrüßt jeden Gast persönlich und findet meistens einen freien Platz für ihn.

In der Schweiz hat 1911 das **Grand Café Odeon** in Zürich aufgemacht. Es ist im „Jugendstil"[4] dekoriert und steht deshalb seit 1972 unter Denkmalschutz[5]. Ganz wie die Wiener Vorbilder war das Kaffeehaus ein Treffpunkt für Schriftsteller und Künstler aus aller Welt. Nach dem Krieg hatten auch in der Schweiz junge Menschen höchstens ein Zimmer zur Untermiete. Darum kamen sie gerne ins „Odeon". Dort hat man Freunde und Bekannte getroffen, diskutiert und natürlich auch Kaffee getrunken und etwas gegessen. Die Tradition ist geblieben, aber die Zeiten haben sich geändert. Das „Odeon" hat ein Boulevard-Restaurant bekommen. Von Frühling bis Herbst können hier die Gäste draußen sitzen und sich die Passanten ansehen. Nur morgens ist es noch ein bisschen so wie früher: Geschäftsleute treffen hier ihre Kunden, andere lesen in aller Ruhe Zeitung und trinken ihren Kaffee.

1 Künstler der, -: Maler sind zum Beispiel Künstler.
2 Schriftsteller der, -: Schriftsteller schreiben Bücher.
3 Journalist der, -en: Journalisten schreiben Texte für Zeitungen und Zeitschriften.
4 Jugendstil der (Sg.): bestimmter Stil in der Kunst und Architektur am Ende des 19. und Anfang des 20. Jahrhunderts in Europa
5 unter Denkmalschutz stehen (stand, hat gestanden): Das Gebäude muss so bleiben, man darf es nicht verändern.

1 **Sehen Sie die Fotos an: Was macht man in einem Café oder in einem Kaffeehaus? Sammeln Sie.**

Café / Kaffeehaus

2 **Lesen Sie den Text und ergänzen Sie die Informationen über die drei Cafés.**

Wie heißt das Café?	Wo ist das Café?	Seit wann gibt es das Café?	Wer hat das Café besucht?
	in Wien		
			Schriftsteller und Künstler, junge Menschen
		seit 1835	

In Berlin ist das Café Kranzler ein beliebter Treffpunkt für Kaffeehaus-Liebhaber. Gegründet hat es der österreichische Konditor[6] Johann Georg Kranzler 1835. Damals haben besonders die „Oberen Zehntausend" „das Kranzler" gern und oft besucht: Live-Musik und weibliche Bedienung (also die Kellnerinnen) waren die Hauptattraktion in dieser Zeit. Im Laufe der Jahre hat das Café Kranzler ein paar Mal den Platz, den Besitzer und das Aussehen gewechselt. Aber: Das „Kranzler" ist immer berühmt und beliebt gewesen. In der geteilten Stadt wurde es für viele Touristen eine Berliner Sehenswürdigkeit. Die elegante Einrichtung soll an die alten Zeiten und die große Zeit der Kaffeehauskultur erinnern. Geblieben ist auch ein anderes Markenzeichen des „Kranzlers": die rot-weißen Markisen[7] vor den Fenstern. So kann man das Café auf einem Spaziergang durch den Berliner Westen leicht finden.

6 Konditor der, -en: Bäcker, der feines Gebäck, Kuchen und Torten macht

7 Markise die, -n: ein „Sonnendach" vor Fenstern und Türen

Wörter zum Thema

Café das, -s
Kaffeehaus das, ¨-er
Kaffee der, -s
Stadt die, ¨-e
Lage die, -n
Künstler der, - / Künstlerin die, -nen
Politiker der, - / Politikerin die, -nen
Journalist der, -en / Journalistin die, -nen
Tourist der, -en / Touristin die, -nen
Leute die (Pl.)
Geschäftsleute die (Pl.)
Gast der, ¨-e
Kunde der, -n / Kundin die, -nen
Kellner der, - / Kellnerin die, -nen
Sehenswürdigkeit die, -en

gemütlich / ungemütlich
berühmt
beliebt / unbeliebt
zentral / abseits
elegant / unelegant

sich (an einen Tisch) setzen
sitzen (saß, hat gesessen)
bestellen
Freunde treffen (traf, hat getroffen)
diskutieren über + Akk.
Zeitung lesen (las, hat gelesen)

3 Lesen Sie den Text noch einmal und ergänzen Sie. Um welches Café geht es?

a Das Café ist schon ein paar Mal umgezogen. Heute liegt es im Westen der Stadt. ______________

b Es ist heute viel größer als früher. In dem neuen Restaurant kann man sehr gut essen und Leute beobachten.

____

c Besonders nach dem Krieg sind viele Menschen gern dorthin gegangen, denn die meisten von ihnen hatten damals oft nur sehr kleine oder kaputte Wohnungen.

____

d Dort kommt der Chef zu seinen Gästen und sagt: „Grüß Gott." ______________

e Typisch für dieses Café sind die Markisen.

____

f Das Café ist eine architektonische Sehenswürdigkeit. Das Gebäude muss deshalb auch zukünftig so aussehen wie jetzt. ______________

4 Welche Wörter und Wendungen passen für Sie zum Thema „Kaffeetrinken"? Welche passen nicht? Sprechen Sie.

zum Frühstück • mit Freunden • gemütlich • viel Zeit • morgens • nachmittags • bei der Arbeit • im Café • unterwegs • nach dem Essen • Kuchen • schnell • müde sein • süß • Milch und Zucker • ungesund • auf der Straße • Sonntagnachmittag • mit der Familie • im Urlaub • Zeitung • zu Hause

6

Friedensreich Hundertwasser

Friedensreich Hundertwasser war ein österreichischer Künstler und Architekt und lebte von 1928 bis 2000. Er hat die Natur geliebt und war der Meinung: Der Mensch hat der Natur viel Platz weggenommen. Also muss er der Natur wieder Platz machen. Auf den Dächern von seinen Häusern wachsen Gras[1], Pflanzen und Bäume. Die Natur – das sind für Hundertwasser aber auch weiche Linien und leuchtende, helle Farben. Diese Formen und Farben bestimmen seine Kunst- und Bauwerke. Nicht die gerade Linie: Denn die ist für Hundertwasser gottlos[2] und unnatürlich.

»als Architekt arbeiten«

In den letzten 20 Jahren seines Lebens hat Hundertwasser hauptsächlich als Architekt gearbeitet. Bauwerke von ihm kann man in den deutschsprachigen Ländern, aber auch in Japan, in den USA, in Israel und in Neuseeland sehen. Er hat nicht nur Ideen für Wohnhäuser gehabt. Hundertwasser hat auch Bahnhöfe, Schulen, Kindergärten, Kirchen, Markthallen, Wasserwerke[3] und sogar Müllanlagen[4] gebaut.

1 Gras das, ¨er: grüne Pflanze. Es wächst auf dem Boden und ist meistens kurz geschnitten.
2 gottlos: nicht von Gott gewollt, unmoralisch
3 Wasserwerk das, -e: Von dort kommt das Wasser in die Häuser.
4 Müllanlage die, -n: Für ein Haus gibt es Mülltonnen, für eine Stadt Müllanlagen.

Müll verbrennen[5] und gleichzeitig Wärme für die Stadt Wien produzieren: Diese Idee gefällt Hundertwasser. Eigentlich, denkt er, sollen die Menschen gar keinen Müll machen. Aber in einer Millionenstadt wie Wien ist das nicht möglich. Also gestaltet Hundertwasser von 1988 bis 1992 das Fernwärmewerk Spittelau. Die Anlage ist umweltfreundlich, denn eine neue Technik reduziert die Emissionen.

Auch im schweizerischen Altenrhein gibt es ein Gebäude nach einer Idee von Hundertwasser. Es ist eine Markthalle. Sie wurde von 1998 bis 2001 gebaut. Dort kann man Obst und Gemüse, Fisch und Fleisch, Kuchen und Brot und viele andere Lebensmittel kaufen. Auf dem Dach kann man ein Video über die Ideen und Gedanken des Künstlers ansehen. Ganz klar: Die Markthalle in Altenrhein ist ein Hundertwasser-Gebäude: Sie hat goldene Zwiebeltürme, geschwungene[6] Linien und Böden mit Wellen[7].

5 verbrennen (verbrannte, hat verbrannt): etwas ins Feuer werfen
6 geschwungen: nicht gerade
7 Welle die, -n: „Böden mit Wellen" bedeutet hier: Der Boden ist nicht gerade.

1 Sehen Sie die Fotos an: Wie finden Sie die Gebäude? Sprechen Sie.

Das Gebäude auf Bild B, C, D gefällt mir
(sehr) gut / (nicht so) gut / (überhaupt) nicht.
Ich finde, das Gebäude auf Bild ... sieht hässlich / seltsam / interessant / schön / lustig / bunt / fröhlich ... aus.

2 Lesen Sie den Text bis Zeile 23 und ergänzen Sie die Informationen.

Name?
Nationalität?
Wann geboren, wann gestorben?
Beruf?

Alle Fenster sind verschieden und die bunten Säulen sind schief[8]. Das Haus leuchtet in vielen Farben und auf dem Dach wächst Gras. Weil 50 das Gebäude so attraktiv ist, kann man es auch mieten. Und so gibt es in der Markthalle von Altenrhein oft auch Geschäftstermine oder Hochzeiten und andere Familienfeste.

Vor einigen Jahren haben die Schülerinnen 55 und Schüler des **Martin-Luther-Gymnasiums** im deutschen **Wittenberg** ihre Traumschule gezeichnet. Ihr Wunsch: Die neue Schule soll bunt und fröhlich aussehen, nicht langweilig, gerade und eckig wie die alte. Einige Schüler 60 haben Hundertwasser einen Brief geschrieben. Nach einem Gespräch war der Künstler und Architekt bereit: Von Neuseeland aus hat er beim Umbau der alten Schule geholfen und ein Traum von den Jugendlichen wurde wahr: 65 Heute ist das Gymnasium ein buntes Haus mit vielen Dachterrassen und Grünflächen. Aus den Fenstern wachsen Bäume. Es gibt goldene Kuppeln[9], Türme und keine einzige gerade

Linie. Auch innen sieht alles ganz anders aus. 70 Jedes Stockwerk hat eins der vier Elemente zum Thema: Feuer, Wasser, Erde und Luft. 1999 ist die Schule fertig geworden. Leider hat Hundertwasser sie nicht mehr gesehen. Er ist auf dem Weg nach Europa im Jahr 2000 75 gestorben.

8 schief: nicht gerade
9 Kuppel die, -n: ein rundes Dach, meistens haben Kirchen eine Kuppel

Wörter zum Thema

Architekt der, -en / Architektin die, -nen
Künstler der, - / Künstlerin die, -nen
Natur die (Sg.)
Pflanze die, -n
Gras das, ¨-er
Baum der, ¨-e
Form die, -en
Farbe die, -n
Linie die, -n
Werk das, -e
Kunstwerk das, -e
Bauwerk das, -e
Wasserwerk das, -e
Fernwärmewerk das, -e
Stockwerk das, -e
Gebäude das, -
Terrasse die, -n
Dachterrasse die, -n
Turm der, ¨-e
Zwiebelturm der, ¨-e

hell / dunkel
gerade / schief
rund / eckig
fröhlich / traurig
bunt / einfarbig
verschieden / gleich
umweltfreundlich

bauen

3 Lesen Sie die Fragen (a–d) und den Text. Was erfahren Sie über die Gebäude von Hundertwasser? Suchen Sie die Informationen im Text und ergänzen Sie.

a Was für ein Gebäude ist das?
b Wo steht es?
c Welche Funktion hat das Gebäude?
d Was ist das Besondere an dem Gebäude?

4 Stellen Sie kurz einen Architekten oder einen Künstler aus Ihrem Land vor.

Ich möchte Ihnen / euch ... vorstellen. Er / Sie hat als ... gearbeitet.
Er / Sie hat von ... bis ... gelebt.
Er / Sie hat ... gebaut. Seine / Ihre Bauwerke stehen / gibt es in ...
Seine / Ihre Gebäude sind ...
Ich finde seine / ihre Bauwerke ... , denn ...

7

Was man so trägt: *Mode von fünf Generationen*

Kleidung ist nicht nur Kleidung. Kleidung zeigt immer auch den Lebensstil und die Ideen in einer bestimmten Zeit.

In den **1920er-Jahren**, also nach dem Ersten Weltkrieg, arbeiten 36% der Frauen. Diese Selbstständigkeit sieht man auch in der Kleidung. Sie ist vor allem praktisch und bequem. Stoff[1] ist teuer, also werden die Röcke kürzer. Jetzt tragen auch Frauen Hosen. Die Haare sind kurz – zu einem „Bubikopf" geschnitten. In die Männermode der zwanziger Jahre kommen Elemente aus der Sportkleidung: Die Klubjacke aus dem Tennisklub oder die Knickerbockers[2] von den Golfspielern.

1 Stoff der, -e: Röcke, Hosen, Pullover etc. macht man aus verschiedenen Materialien oder Stoffen.
2 Knickerbockers die (Pl.): Hosen, die bis kurz unter die Knie gehen und dort verschlossen werden

In den **1950er-Jahren** – nach dem Zweiten Weltkrieg – geht es den Deutschen wirtschaftlich wieder besser. Viele können in Italien oder Spanien Urlaub machen. Caprihosen[3] sind nun „in". Zum ersten Mal gibt es eine Mode speziell für junge Leute. „Teenies" in amerikanischen Filmen sind das Vorbild[4]: Frauen tragen flache Schuhe – Ballerinas – zu Twinsets und Petticoats, haben die Haare zum Pferdeschwanz gebunden und ein Nickituch um den Hals. Die ersten Jeans kommen nach Deutschland. Sie dürfen niemals neu aussehen.

3 Caprihose die, -n: enge Hose, die etwa 20 cm über dem Fuß endet
4 Vorbild das, -er: Eine Person mit besonderen Qualitäten ist ein Vorbild, ein Ideal für andere.

A

B

C

D

E

1 Sehen Sie die Fotos an und lesen Sie die Jahreszahlen im Text. Was meinen Sie: Welches Foto passt zu welcher Zeit?

Foto A / B / C / ... / passt vermutlich zu den zwanziger / fünfziger / sechziger / achtziger Jahren / zur heutigen Zeit.
Wahrscheinlich zeigt das erste / zweite / dritte / ... / Foto Mode / Menschen aus den zwanziger / fünfziger / sechziger / achtziger Jahren / von heute.

2 Lesen Sie den Text und ergänzen Sie die Jahreszahlen.

a Mode aus Amerika kommt nach Deutschland. ____________
b Mode muss praktisch sein und darf nicht viel kosten. ____________
c Zu dieser Zeit sind die Frauen eher männlich gekleidet. ____________
d In der Mode ist alles möglich und erlaubt. ____________
e Frauen tragen sehr weibliche Kleidung. ____________

Die **1960er-Jahre** sind eine Zeit der Gleichberechtigung[5] und der (sexuellen) Revolution. Frauen tragen Miniröcke und bunte Farben und signalisieren: Ich bin eine Frau und nicht 30 nur die Mutter meiner Kinder. Das Model „Twiggy" macht die Kinderfigur zum Schönheitsideal. Jugendliche haben ihre eigene Mode. Bei Farbe und Material ist alles möglich, alles passt irgendwie zusammen. Hippies 35 mit ihren langen Haaren, bunten Kleidern und ihrem Motto „Make love, not war" sind das Symbol für Liebe und Frieden.

»in sein«

In den **1980er-Jahren** machen Polster[6] die Schultern extrem breit. 40 Mann und Frau verschwinden[7] in Übergrößen, und Unisex-Mode ist in. Mit neuen Sportarten wie Joggen, Aerobic und Breakdance werden auch Leggings und bauchfreie Kleidung modisch. Markennamen sind wich- 45 tig. Abends zieht man sich elegant an mit Cocktail- oder Abendkleid. Ein Accessoire der 1980er-Jahre muss jeder haben: die Sonnenbrille von Ray Ban!

Heute ist alles möglich, und es gibt Wieder- 50 holungen von früher. Ein richtiger Stil-Mix. Man findet viele Dinge gleichzeitig: Plateauschuhe, spitze Schuhe oder bequeme Turnschuhe. Hosen und Röcke sitzen unten auf der Hüfte. Der Bauch und Rücken sind frei und 55 machen Platz für Piercings, Tatoos und andere Dekorationen.

5 Gleichberechtigung die (nur Sg.): Das bedeutet hier: Männer und Frauen haben die gleichen Rechte.
6 Polster das, -: kleine Verstärkung in der Kleidung, die die Schultern betont
7 verschwinden (verschwand, ist verschwunden): man sieht jemanden / etwas nicht mehr, jemand / etwas ist nicht mehr da

Wörter zum Thema

Mode die, -n
Frauenmode die, -n
Männermode die, -n
Kleidung die (Sg.)
Sportkleidung die (Sg.)
Stil der, -e
Modestil der, -e
Lebensstil der, -e
Stoff der, -e
Rock der, ¨-e
Minirock der, ¨-e
Kleid das, -er
Abendkleid das, -er
Cocktailkleid das, -er
Hose die, -n
Schuh der, -e
Material das, -ien
Marke die, -n
Marken-
Markenname der, -n

modisch / unmodisch
praktisch / unpraktisch
bequem / unbequem
kurz / lang
elegant / sportlich
breit / schmal
hoch / flach

tragen (trug, hat getragen)
anziehen (zog an, hat angezogen)

3 Lesen Sie den Text noch einmal und ergänzen Sie.

	Was haben die Leute getragen?	Warum?	Was ist noch interessant?
1920			
1950			
1960			
1980			
Heute			

4 Was tragen die Leute in Ihrem Land besonders gern? Erzählen Sie.

Bei uns tragen die Leute gern ...
In meinem Land haben die meisten Männer / Frauen ... an.
Männer und Frauen ziehen sich in meinem Land (sehr) elegant / sportlich / ... an.

8

Schönheiten aus Deutschland

A

Viele junge Frauen träumen von einer Karriere[1] als Model[2]. Sie möchten berühmt werden und sind deswegen zu allem bereit: Sie hungern und machen so sogar manchmal ihre Gesundheit kaputt. Trotzdem wird für die meisten der Traum nicht wahr. Nur ganz wenige haben Glück und Erfolg. Wie zum Beispiel Heidi Klum oder Claudia Schiffer. Obwohl die beiden inzwischen zu alt zum Modeln sind, zählen sie immer noch zu den bekanntesten und erfolgreichsten deutschen Fotomodellen.

Heidi Klums Karriere begann bei einer Fernsehshow. Dort trat sie gegen viele andere Kandidatinnen[3] an, gewann und bekam einen sehr guten Vertrag als Fotomodell. Als sie auf der Bademoden-Titelseite einer sehr bekannten amerikanischen Zeitschrift für Sport erschien, hatte sie es geschafft. Inzwischen benutzt sie ihre internationale Bekanntheit und kann auch eigene Produkte wie Schmuck, Süßwaren und Kleidung gut verkaufen. Im deutschen Fernsehen kann man sie in der Casting-Show „Germany's Next Topmodel" sehen. Dort wählt **Heidi Klum** unter jungen Mädchen neue Models aus.

1 Karriere die, -n: Erfolg im Beruf
2 Model das, -s: Frauen und Männer, die sehr gut aussehen und damit Geld verdienen
3 Kandidat der, -en / Kandidatin die, -nen: hier: Teilnehmer an einer Fernsehshow

B

»Karriere machen«

C

Claudia Schiffers Karriere fing mit einem Zufall an. Sie wurde in einer Disco von einer Modelagentur[4] entdeckt und zu Aufnahmen[5] nach Paris eingeladen. Mit einer Fotoserie in der Zeitschrift „Elle" machte sie international Karriere. Bekannt wurde sie durch den Modedesigner[6] Carl Lagerfeld und lief mit 18 zum ersten Mal für das Modehaus „Chanel" über den Laufsteg[7], andere Modehäuser folgten. Frauen wie **Claudia Schiffer** gaben der Modebranche[8] eine neue Bedeutung, und Models wurden zu Weltstars.

4 Modelagentur die, -en: Büro, das Arbeit und Aufträge für Models organisiert
5 Aufnahme die, -n: Foto
6 Modedesigner der, -: Person, die Mode macht / entwirft
7 Laufsteg der, -e: „Weg" für Models durch die Zuschauer. Von dort aus zeigen sie Mode.
8 Modebranche die, -n: Models und Modedesigner arbeiten in der Modebranche.

1 Sehen Sie die Fotos an. Kennen Sie die Frauen? Was wissen Sie über sie?

Die Frau auf Foto B / C / ... könnte ... sein / ist vermutlich ...
Die Frau auf Foto D kenne ich nicht / ist mir nicht bekannt.
Von ... weiß ich / habe ich gehört / gelesen, dass sie ...

2 Lesen Sie den Text und ergänzen Sie die Namen: Wer ist „sie"?

a Früher war sie selbst ein berühmtes Model. Jetzt ist sie auch bekannt, weil sie im Fernsehen nach neuen Models sucht. ______________
b Sie ist inzwischen eine alte Dame. Sie hat ein Buch über ihre Erfahrungen als junges Model geschrieben. ______________
c Die Stadt Paris war für sie und für den Beginn ihrer Karriere als Model sehr wichtig. ______________

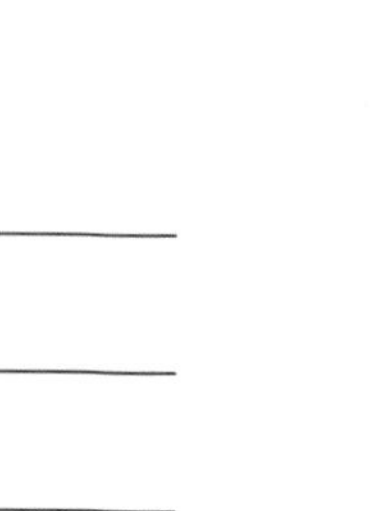

Die Geschichte deutscher Topmodels hat 1936 mit **Karin Stilke** begonnen. Eine berühmte Fotografin entdeckte sie in Berlin auf der Straße und überzeugte sie zu Modeaufnahmen. Einige Tage später erschienen die Fotos in zwei wichtigen Modezeitungen, und das war der Start ihrer Karriere als Fotomodell. Die berühmtesten Modefotografen arbeiteten über zwanzig Jahre lang mit ihr und brachten sie auf die Titelseiten der wichtigsten Modezeitschriften. Inzwischen ist sie über 90 Jahre alt, sieht aber immer noch gut aus. Karin Stilke hat ein Buch mit ihren Erinnerungen geschrieben, und eine Ausstellung im Hamburger Museum für Kunst und Gewerbe zeigte Fotoaufnahmen von ihr von 1936 bis 1957. Wenn sie sich die Show „Germany's Next Topmodel" ansieht, denkt sie allerdings oft: „Schrecklich, diese armen Frauen!" Damals, so findet sie, machte die Arbeit mehr Spaß, es gab keine Agenturen und keine riesigen Sets für die Aufnahmen. In ihren Erinnerungen sagt sie: „Wir haben uns die Kleider selbst am Rücken abgesteckt. Es gab keinen Friseur, keine Visagistin[9], kein Make-up, nur Theaterschminke[10]. Das haben wir alles selbst gemacht."

9 Visagistin die, -nen: Visagisten pflegen das Gesicht und machen es schöner.

10 Theaterschminke die (Sg.): Farbe für das Gesicht von Schauspielern

WÖRTER ZUM THEMA

Model das, -s
Topmodel das, -s
Modell das, -e
Fotomodell das, -e
Agentur die, -en
Modelagentur die, -en
Mode die, -n
Modedesigner der, -
Modehaus das, ¨-er
Modebranche die, -n
Glück das (Sg.)
Erfolg der, -e
Karriere die, -n
Vertrag der, ¨-e
Schmuck der (Sg.)
Zufall der, ¨-e
Ausstellung die, -en
Erinnerung die, -en

berühmt
bekannt / unbekannt
erfolgreich

träumen von + Dat.
gewinnen
modeln
entdecken
Erfolg haben
(gut / schlecht) aussehen (sah aus, hat ausgesehen)

3 **Was erfahren Sie noch über die drei Models? Lesen Sie die Fragen (a–c), suchen Sie die Informationen im Text und ergänzen Sie.**

a Welche Zeitschriften / Welche Personen haben sie berühmt gemacht?
b Wo hat ihre Karriere begonnen?
c Was ist das Besondere an ihrer Person?

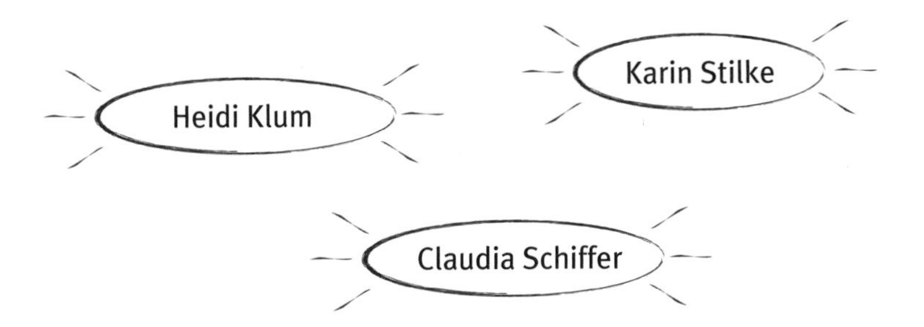

4 **Kennen Sie auch ein Model? Informieren Sie sich und erzählen Sie.**

Wie heißt Ihr Model? Woher kommt sie / er?
Wie sieht sie / er aus? Wie wurde sie / er entdeckt?
Wodurch wurde sie / er bekannt?
Modelt sie / er noch? Was macht „Ihr Model" jetzt?

9

Zum Thema *(Schul-)*Kleidung

1

„Kleider machen Leute" heißt eine **Erzählung** von **Gottfried Keller**[1]. Erzählt wird die Geschichte von einem armen Schneider[2], der durch ein fremdes Land wandert. Das Einzige, was dieser Mann besitzt, ist gute Kleidung. Eines Tages nimmt ihn die Kutsche[3] eines reichen Mannes mit ins nächste Dorf. Als er dort aussteigt, glauben die Dorfbewohner, dass er ein reicher Mann ist. Der arme Schneider widerspricht nicht, als ihn plötzlich alle wie einen reichen Herrn behandeln. Man leiht ihm Geld, lädt ihn ein, und schließlich landet er in den Armen eines reichen Mädchens. Am Ende wird das Missverständnis zwar aufgeklärt, aber der Schneider bekommt trotzdem seine Liebste und ist ein angesehener[4] Mann.

2

Gottfried Keller zeigt mit seiner Geschichte, wie sehr wir andere Menschen nach ihrem Äußeren beurteilen[5]. Der Titel der Erzählung ist im Deutschen zu einer be-kannten Redewendung geworden: Kleider machen Leute – das bedeutet, dass das Aussehen sehr wichtig für den Erfolg eines Menschen sein kann.

Auch in den deutschen Schulklassen von heute gilt diese Redewendung. Denn wer heute nicht die neueste Markenjeans und ein Shirt des letzten **Modetrends** trägt, der wird schnell zum Außenseiter[6]. Teure Kleidung ist oft die Eintrittskarte in die Klassengemeinschaft. Für junge Leute gehören Mode und Marken daher heute zu den wichtigsten Themen. Und es sind sehr teure Themen! In der Schule und im Freundeskreis wird ein Wettkampf[7] um die besten Klamotten[8] geführt. Es geht darum, wer sich die teuersten Turnschuhe kaufen kann und wer schon wieder den neuesten Trend trägt. Ein Jugendlicher trägt heute im Durchschnitt Kleidung für über 350 Euro am Körper. Damit steht Kleidung bei den Ausgaben von Jugendlichen auf Platz eins. Die Kleider machen aus den Leuten also heute Konkurrenten[9].

»Kleider machen Leute«

3

Seit einigen Jahren wird in Deutschland und inzwischen auch in Österreich und der Schweiz deshalb darüber diskutiert, ob eine **einheit-**

1 Schweizer Schriftsteller und Politiker (1819–1890)
2 Schneider der, -: Jemand, der Kleidung näht oder ändert, ist von Beruf Schneider.
3 Kutsche die, -n: Heute fährt man mit dem Auto, früher ist man mit einer Kutsche gefahren.
4 angesehen sein: Wenn Leute gut über eine andere Person denken, ist diese angesehen.
5 beurteilen: sich ein Urteil / eine Meinung über jemanden oder zu etwas bilden
6 Außenseiter der, -: jemand, der von einer Gruppe nicht geachtet wird und deshalb auch nicht zu der Gruppe dazugehört
7 Wettkampf der, ¨-e: zwei (oder mehrere) Personen kämpfen / streiten darum, wer gewinnt (meistens beim Sport)
8 Klamotten die (Pl.): umgangssprachlich für Kleidung
9 Konkurrent der, -en: eine Person, mit der man sich in einer Wettkampfsituation befindet

1 **Lesen Sie den ersten Textabschnitt und ergänzen Sie: Was haben Sie über die Erzählung „Kleider machen Leute" erfahren?**

a Der Autor der Erzählung heißt ______________________.
b Die Erzählung handelt von einem Mann, der von Beruf ______________________ ist.
c Der Mann ist arm. Das sieht man aber nicht, denn er trägt ______________________.
d Deshalb denken die Leute, dass der Mann ______________________ ist und sind sehr nett zu ihm.
e Weil der arme Schneider so gut aussieht, lernt er ______________________ kennen.
f Am Ende der Geschichte wissen ______________________ zwar, dass der Schneider eigentlich ein armer Mann ist, aber sie mögen ihn trotzdem und das Mädchen bleibt bei ihm.

liche[10] **Schulkleidung** den Modezwang[11] im Klassenzimmer verhindern kann. Man hofft, dass der Konkurrenzkampf um die teuersten Klamotten durch eine einheitliche Schulkleidung beendet werden kann. Kein Streit und kein Spott[12] mehr wegen der falschen Jeans oder der falschen Jacke. Die Schulkleidung soll aus Konkurrenten wieder Klassenkameraden oder Freunde machen. Sie soll die jungen Leute frei machen vom „Marken- und Modezwang".

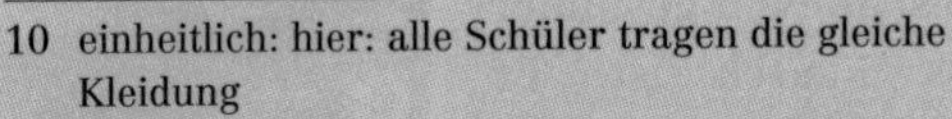

10 einheitlich: hier: alle Schüler tragen die gleiche Kleidung
11 Modezwang der, ¨-e: Zwang, immer die neueste Mode zu tragen: man muss immer die neueste Mode tragen
12 Spott der (Sg.): wenn man über jemanden lacht und sich lustig macht

4

Ob die Schulkleidung die Schüler tatsächlich vom Kleiderzwang befreit, darf bezweifelt werden. Kritiker der Schulkleidung fürchten, dass der Kampf ums Aussehen und Ansehen von der Kleidung auf andere Äußerlichkeiten[13] übergehen wird. Dann geht es eben nicht mehr um die Markenjeans, sondern etwa um die Schultasche, die Armbanduhr oder das Handy. Denn: Nicht nur Kleider machen Leute …

13 Äußerlichkeit die, -en: Kennzeichen an einem Menschen, die man sehen kann, im Unterschied zu inneren Werten wie zum Beispiel dem Charakter

2 **Kreuzen Sie an: Was bedeutet die Redewendung „Kleider machen Leute" wohl? Lesen Sie dann den zweiten Abschnitt. War Ihre Vermutung richtig?**

a ○ Kleidung wird von Menschen für Menschen gemacht.
b ○ Der Erfolg eines Menschen hängt oft von seiner Kleidung ab.

3 **Lesen Sie den Text nun zu Ende und ergänzen Sie: Wo steht das im Text?**

a Schüler, die sich keine teuren Kleider kaufen können, finden in der Klasse oft keine Freunde. Zeile ____ bis ____
b Weil das Aussehen so wichtig ist, geben Jugendliche sehr viel Geld für Kleidung aus. Zeile ____ bis ____
c Damit die Kleidung für Schüler kein so wichtiges Thema mehr ist, will man in den deutschsprachigen Ländern vielleicht Schulkleidung einführen. Zeile ____ bis ____
d Leute, die gegen Schulkleidung sind, meinen, dass Schüler auch mit anderen Dingen zeigen können, wie viel Geld sie haben. Zeile ____ bis ____

4 **Sind Sie für oder gegen Schulkleidung? Diskutieren Sie.**

Ich denke / finde / bin der Meinung, dass …
Schulkleidung finde ich (nicht) gut, weil …
Das sehe ich auch so / nicht so, weil …
Da bin ich deiner / Ihrer / anderer Meinung.
Das stimmt. / Da hast du / haben Sie recht, aber …

WÖRTER ZUM THEMA

Erzählung die, -en
Geschichte die, -n
Kleidung die (Sg.)
Schulkleidung die (Sg.)
Bewohner der, - / Bewohnerin die, -nen
Dorfbewohner der, - / Dorfbewohnerin die, -nen
Titel der, -
Marke die, -n
Marken-
Markenklamotten (Pl.)
Markenjeans die, -
Trend der, -s
Modetrend der, -s
Gemeinschaft die, -en
Klassengemeinschaft die, -en
Kampf der, ¨-e
Wettkampf der, ¨-e
Konkurrenzkampf der, ¨-e
Durchschnitt der (Sg.)
Streit der, -e

reich / arm
teuer / billig
falsch / richtig

besitzen (besaß, hat besessen)
behandeln
widersprechen (widersprach, hat widersprochen)
leihen (lieh, hat geliehen)
tragen (trug, hat getragen)
aussehen (sah aus, hat ausgesehen)

10

MEDIZIN? *Ja, aber ...* NATÜRLICH!

Sagt Ihnen der Name *Maximilian Bircher-Benner* etwas? Wahrscheinlich nicht. Aber „Müsli" kennen Sie bestimmt. Wenn Sie wissen wollen, was das eine mit dem anderen verbindet, dann lesen Sie weiter. Neben dem Schweizer Bircher-Benner stellen wir Ihnen drei weitere deutschsprachige Personen vor: Sie alle wurden für die natürliche Medizin, die Naturheilkunde[1], wichtig.

HEYNE
Dr. Wighard Strehlow
DAS HILDEGARD VON BINGEN KOCHBUCH
Die besten Rezepte der Hildegard-Küche

A

Hildegard von Bingen (1098–1179) ist eine deutsche Äbtissin[2], Mystikerin, Heilkundige, Komponistin[3] und Naturforscherin aus Bingen am Rhein. Sie glaubt, dass die Gesundheit in der Hand von Gott liegt. Trotzdem kann man aber, so sagt sie, mit einem regelmäßigen Lebensrhythmus und mit der richtigen Ernährung[4] seinem Körper und seinem Geist helfen, gesund zu bleiben oder gesund zu werden. „Der Mensch ist, was er isst." – Dieser Satz könnte von Hildegard von Bingen sein. In ihren Büchern beschreibt sie viele hundert verschiedene Medikamente aus Pflanzen, Tieren und Mineralien. Und sie gibt viele Tipps für eine gesunde Ernährung. **Kochbücher mit Hildegards Rezepten** kann man noch heute kaufen.

1 (Natur-)Heilkunde die (Sg.): Wissen, wie man jemanden (mit natürlichen Mitteln) gesund macht bzw. heilt
2 Äbtissin die, -nen: Leiterin von einem Kloster
3 Komponist der, -en / Komponistin die, -nen: jemand, der Musikstücke schreibt
4 Ernährung die (Sg.): Essen

Der Schweizer **Maximilian Bircher-Benner** (1867–1939) ist Arzt und Ernährungswissenschaftler und lebt in Zürich. Er weiß, dass pflanzliche Nahrung die meiste Sonnenenergie enthält und für den Menschen deshalb viel gesünder als Fleisch ist. Er empfiehlt, das Essen nicht zu kochen, weil dadurch wichtige Inhaltsstoffe verloren gehen. Sein wichtigstes Medikament ist die Sonnenkraft im Essen. Dazu entwickelt er das **Original-Birchermüsli**. Es enthält Äpfel, Nüsse, Haferflocken[5], Zitronensaft und ein wenig gezuckerte Kondensmilch. Viele Müslis, die man heute kaufen kann, haben nichts mehr mit der Idee von Maximilian Bircher-Benner gemeinsam. Sie enthalten industriell hergestellte Zutaten und sind viel fetter und süßer als das „Original-Birchermüsli".

B

»Der Mensch ist, was er isst.«

Samuel Hahnemann (1755–1843) ist ein deutscher Arzt und Pharmazeut[6] aus Mitteldeutschland, er lebt unter anderem in Leipzig. Er entdeckt, dass man „Ähnliches durch Ähnliches heilen" kann: Man kann Krankheiten heilen,

5 Haferflocken die (Pl.): Getreidesorte, die oft in Müslis ist
6 Pharmazeut der, -en: jemand, der Medikamente herstellt

1 **Sehen Sie die Fotos an. Lesen Sie die Überschrift und den Text bis Zeile 9. Worum geht es in dem Text?**

Im Text geht es sicherlich um ...
Ich denke, dass der Text von ... handelt.

2 **Lesen Sie den Text zu Ende und ergänzen Sie die Informationen.**

	Hildegard von Bingen	Maximilian Bircher-Benner	Samuel Hahnemann	Sebastian Kneipp
Wann hat ... gelebt?				
Wo hat ... gelebt?			Mitteldeutschland, Leipzig	
Was war ... von Beruf?				

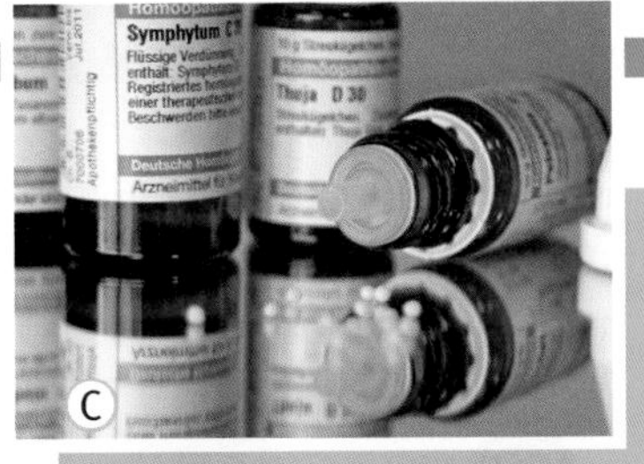

wenn man eine Arznei[7] in kleiner Menge gibt, die in großer Menge zu dieser oder einer ähnlichen Krankheit führt. Mit der Kraft gegen das Medikament entwickelt der Körper auch Kraft gegen die Krankheit. Dies ist die Grundidee der Homöopathie. Hahnemanns wichtigster Tipp gilt noch heute: Der Körper ist der beste Arzt. Wenn man ihm nur ein bisschen dabei hilft, dann kann er sich sehr gut selbst heilen. Hahnemanns Homöopathie verwendet viele verschiedene Medikamente, vor allem aus Pflanzen, Tieren, Metallen und Mineralien. Fast jeder kennt die **„Globuli“**, die weißen Kügelchen[8] aus Zucker. Sie enthalten nur kleinste Mengen des Medikaments, gerade genug, dass der Körper eine Reaktion zeigt. Hahnemann testet mehr als 100 Medikamente zuerst an sich selbst, seiner Frau und seinen elf Kindern; erst dann gibt er sie seinen Patienten.

Sebastian Kneipp (1821–1897) ist ein bayerischer Theologe und Naturheiler. Als Student wird er schwer krank: Er hat Lungentuberkulose. Kein Arzt kann ihm helfen. Da findet er ein altes Buch über die Heilkraft von kaltem Wasser. Er probiert aus, was darin steht. Dreimal pro Woche badet er im Winter kurz im eiskalten Wasser der Donau[9]. Und siehe da! Die Krankheit verschwindet, er wird wieder völlig gesund. Kneipp rät: Man soll seinen Körper stark machen, dann kann er gar nicht erst krank werden. Das Wasser ist das wichtigste Medikament von Pfarrer Kneipp. Er entwickelt im Lauf seines Lebens eine richtige „Wasser-Wissenschaft“. Ob kaltes oder warmes Wasser, ob Vollbad oder Sitzbad – für (fast) jede Krankheit findet er die beste Wasserkur. Das Zentrum der „Kneipp-Bewegung“ ist in der Kleinstadt Bad Wörishofen, südlich von Augsburg, wo Kneipp lebte. **„Kneipp-Kuren“** kann man heute aber fast überall in den deutschsprachigen Ländern machen.

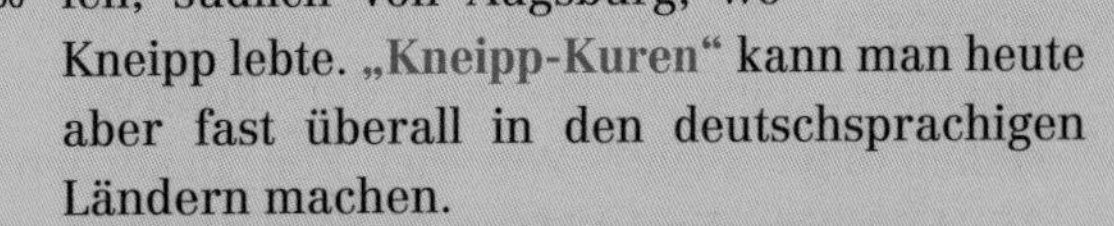

7 Arznei die, -en: Medizin, Medikament
8 das Kügelchen, -: kleine Kugel. Kugeln sind rund.
9 Donau die: Fluss, der durch Deutschland, Österreich und andere Länder ins Schwarze Meer fließt

3 Lesen Sie den Text noch einmal und ergänzen Sie: Von wem kommen die Tipps?

a Rohe Speisen wie Obst oder Nüsse sind gesünder als gekochte. Sie enthalten mehr natürliche Inhaltsstoffe, zum Beispiel die Sonnenenergie. ____________

b Wenn man den Körper mit Wasser behandelt, wird er stärker und bleibt gesund. Viele Krankheiten kann man mit Wasser heilen. ____________

c Die Medikamente helfen dem Körper, Gegenkräfte gegen die Krankheit zu entwickeln. So macht sich der Körper selbst gesund. Man darf aber nur sehr wenig von dem Medikament nehmen. ____________

d Der Mensch kann selbst etwas dafür tun, dass er nicht krank wird. Er muss das Richtige essen und sollte ein ruhiges Leben führen. ____________

4 Welche natürlichen Heilmethoden kennen Sie? Erzählen Sie.

WÖRTER ZUM THEMA

Medizin die (Sg.)
Medikament das, -e
Arznei die, -en
Heilkunde die *(Sg.)*
Naturheilkunde die (Sg.)
Frauenheilkunde die (Sg.)
Wissenschaft die, -en
Ernährung die (Sg.)
Ernährungswissenschaft die
Ernährungswissenschaftler der, -
Nahrung die (Sg.)
Kraft die, ¨-e
Sonnenkraft die, ¨-e
Heilkraft die, ¨-e
Arzt der, ¨-e / Ärztin die, -nen
Patient der, -en / Patientin die, -nen
Krankheit die, -en
Gesundheit die (Sg.)
Kur die, -en

gesund / krank
fett / mager
stark / schwach

gesund / krank werden (wurde, ist geworden)
heilen
testen

11

Immer schneller? Oder doch wieder langsamer?

1

Berlins Fußgänger sind die viertschnellsten in Europa und weltweit stehen sie auf Platz sieben. Was für ein absurder[1] Rekord! Eine Forschungsgruppe hat in 32 großen Städten gemessen, wie schnell sich die Menschen fortbewegen. Bleiben sie auf der Rolltreppe[2] stehen oder nicht? Wie viel Zeit brauchen 35 Menschen für 18 Meter in der Fußgängerzone? In Berlin sind es 11,6 Sekunden, Wien kommt mit 12,6 Sekunden auf Platz zehn. Die Schweizer nehmen sich mehr Zeit und landen mit 17,36 Sekunden auf dem drittletzten Platz.

2

Schnelligkeit und Hektik[3] bestimmen unser Leben. Was schneller ist, finden wir besser: schnellere Züge, schnellere Flüge, schnellere Internetverbindungen, schnellere Computer, schnelleres Essen. In Deutschland wird jeder Versuch, die Geschwindigkeit auf Autobahnen zu beschränken, abgelehnt. Alles soll heutzutage möglichst wenig Zeit kosten. Was aber bringt uns dieser Zeitgewinn?

1 absurd: ohne Sinn, unvernünftig
2 Rolltreppe die, -n: Rolltreppen gibt es oft in Kaufhäusern. Mit der Rolltreppe fährt man von Stockwerk zu Stockwerk.
3 Hektik die (Sg.): Wenn man alles sehr schnell machen muss, weil man keine Zeit hat, gerät man in Hektik bzw. wird hektisch.

3

Handy, Smartphone, BlackBerry und Laptops machen es möglich, dass wir jederzeit erreichbar sind und blitzschnell Informationen austauschen können. Aber ebenso schnell müssen wir auch Entscheidungen treffen[4] und das führt zu Zeitdruck[5] und Stress. Weil uns außerdem die moderne Technik erlaubt, überall und zu jeder Zeit zu arbeiten, fehlt auch immer häufiger die Zeit für Pausen und Entspannung[6]. Wohin das führen kann, zeigt die steigende Anzahl der Menschen mit „Burn-out-Syndrom[7]" in unserer „Non-Stop-Gesellschaft".

4

Wie gut, dass es einen „Verein zur Verzögerung[8] der Zeit" gibt. Dieser wurde schon vor einigen Jahren in Klagenfurt in Österreich gegründet und hat inzwischen viele Mitglieder und ein großes Netzwerk[9] – auch innerhalb der

4 eine Entscheidung treffen (traf, hat getroffen): etwas entscheiden
5 Zeitdruck der (Sg.): nicht genug Zeit haben, etwas zu tun
6 Entspannung die (Sg.): hier: Ruhe
7 Burn-out-Syndrom das, -e: ausgebrannt sein, überhaupt keine Kraft mehr haben, nicht mehr weiterkönnen
8 Verzögerung die (meist Sg.): etwas geschieht langsamer als gedacht
9 Netzwerk das, -e: Viele Menschen, die sich kennen und sich gegenseitig unterstützen, bilden ein Netzwerk.

1 **Haben Sie diese Wörter schon einmal gehört? Was bedeuten sie wohl?**

Burn-out-Syndrom • Non-Stop-Gesellschaft • Slow Food

Von einem Burn-out-Syndrom spricht man vielleicht, wenn jemand ...
Eine Non-Stop-Gesellschaft ist vermutlich eine Gesellschaft, die ...
Ich bin nicht sicher, aber Slow Food könnte ... sein.
Ich habe keine Ahnung / verstehe nicht, was ... bedeutet.

Wirtschaft. Die Vereinsmitglieder verpflichten
40 sich[10], öfter eine Pause zu machen und immer erst einmal in Ruhe nachzudenken, bevor sie etwas tun. Jedes Jahr findet ein Symposium[11] zum Thema „Zeit" statt, zum Beispiel zu „Zeit und Bildung". Ein anderer Verein mit ähn-
45 lichem Ziel heißt „Slow Food e.V.". Er hat zurzeit ungefähr 1000 Mitglieder, die gegen die großen Fast-Food-Ketten sind, weil sie es nicht gut finden, dass man sich in fünf Minuten satt isst. Slow Food will, dass man sich mehr
50 Zeit zum Essen nimmt und veranstaltet deshalb mehrstündige Festessen.

5

Viele Menschen beginnen also umzudenken und gehen zum Beispiel einmal im Jahr eine Zeit lang ins Kloster[12], um
55 sich zu entspannen, abzuschalten und Zeit zum ungestörten Nachdenken zu haben. Für besonders gestresste Leute gibt es außerdem Meditationsreisen, Anti-Stress-Trainings, Holz-
60 fällerkurse oder Kühe-Hüten auf Schweizer Bergen.

»sich (keine) Zeit nehmen«

6

Früher war materieller Reichtum ein Zeichen von Luxus[13]. Heute ist Zeit ein Luxus. Jeder könnte sie eigentlich haben, aber wer nimmt
65 sie sich schon?

10 sich verpflichten: „offiziell" versprechen
11 Symposium das, Symposien: wissenschaftliche Veranstaltung
12 Kloster das, ¨: Anlage mit Kirche und Wohnhäusern. Dort leben Menschen, die nur für Gott leben und arbeiten wollen.
13 Luxus der (Sg.): Luxuswaren sind zum Beispiel Schmuck, teure Autos, große Häuser, teure Lebensmittel.

WÖRTER ZUM THEMA

Zeit die (Sg.)
Zeitgewinn der (Sg.)
Zeitdruck der (Sg.)
Stress der (Sg.)
Fußgänger der, -
Fußgängerzone die, -n
Rekord der, -e
Forschung die, -en
Technik die, -en
Verbindung die, -en
Internetverbindung die, -en
Versuch der, -e
Geschwindigkeit die (Sg.)
Geschwindigkeitsbeschränkung die (Sg.)
Verein der, -e
Mitglied das, -er
Vereinsmitglied das, -er

schnell / langsam
blitzschnell
stressig
gestresst / entspannt

messen (maß, hat gemessen)
sich bewegen
sich fortbewegen
stehen bleiben (blieb stehen, ist stehen geblieben)
bestimmen
ablehnen
eine Pause machen
nachdenken über + Akk.

2 Lesen Sie den Text und ordnen Sie zu: Welcher Abschnitt (1–5) passt zu welchem Foto?

Foto	A	B	C	D	E
Abschnitt					

3 Lesen Sie den Text noch einmal. Waren Ihre Vermutungen in Aufgabe 1 richtig? Markieren Sie dann die Antworten zu den Fragen a-f im Text und sprechen Sie im Kurs.

a Was hat eine Forschungsgruppe in Städten gemessen?
b Was macht unsere Gesellschaft so schnell?
c Warum ist diese Schnelligkeit für uns Menschen gefährlich?
d Was möchte der Verein „Slow Food" erreichen?
e Was tun viele Menschen gegen den Stress?

4 Wofür hätten Sie in Ihrem Leben gern mehr Zeit? Erzählen Sie.

12

Lachen ist *gesund*

A

B

C

1

Fast zwanzig Männer und Frauen, alte und junge, stehen auf einer Wiese im Kreis und sehen sich fest in die Augen. Plötzlich fängt einer an, leise zu kichern[1]. Immer mehr schlie-
5 ßen sich an, lachen lauter und lauter und halten sich schließlich vor Lachen den Bauch. Dann lacht eine Dame gackernd[2] wie ein Huhn, schlägt mit den Armen wie mit Flügeln[3] und springt auf einem Bein wild umher. Die ande-
10 ren machen es ihr nach. Schließlich galoppieren[4] alle wie Pferde fröhlich herum und können gar nicht mehr aufhören zu lachen.

1 kichern: leise und mit hohen Tönen lachen
2 gackern: Menschen sprechen, Hühner gackern
3 Flügel der, -: die beiden Körperteile von Vögeln, mit denen sie fliegen
4 galoppieren: schnellste Bewegung des Pferdes

2

Jede Woche trifft sich die Gruppe in ihrem Lachklub und trainiert Lachübungen wie diese.
15 Warum? Weil Lachen gesund ist. Und weil die meisten Menschen im heutigen Alltag selten Grund zum Lachen haben. Über 100 Lachklubs gibt es in Deutschland, Österreich und der Schweiz, und sie werden immer beliebter. Ein
20 Lachyoga-Verband mit dem Namen „Hoho-Haha“ bildet neue Lachtrainer professionell aus. Lachyoga ist eine Mischung aus einfachen Übungen zum Atmen und besonderen Lachübungen, die den ganzen Körper in Bewegung
25 bringen. Dabei kommt der Mensch von ganz allein in Stimmung[5]. Ein indischer Arzt, Madan Kataria, erfand die ungewöhnliche Methode vor einigen Jahren.

5 in Stimmung kommen (kam, ist gekommen): fröhlich werden, gute Laune bekommen

1 **Sehen Sie die Fotos an. Was tun die Leute? Was meinen Sie: Warum tun sie das wohl?**

Die Leute auf den Fotos ...
Ich glaube / vermute / denke, dass ...
Es kann / könnte sein, dass ...
Vielleicht / Wahrscheinlich / Vermutlich ...

2 **Lesen Sie den Text und ergänzen Sie: Welche Frage passt zu welchem Abschnitt? (Zu manchen Abschnitten gibt es mehr als eine Frage.)**

		Abschnitt
a	Warum hilft Lachen ängstlichen Menschen?	___
b	Kann man lernen, Humor zu haben?	___
c	Was ist Lachyoga und wer hat es erfunden?	___
d	Warum ist Lachen Medizin?	___
e	Welche Tiere machen Menschen nach, wenn sie das Lachen üben wollen?	___
f	Wie viele Lachklubs gibt es zurzeit in den deutschsprachigen Ländern?	___

3

Zehn Minuten Lachen bringt so viel körperliche Fitness[6] wie 30 Minuten Jogging! Egal, ob man jemanden freundlich anlächelt[7], wie ein Kind vor Freude quietscht[8], über sich selbst lacht oder einfach nur leise schmunzelt[9]. Das Wichtigste ist: je mehr, desto besser. Denn jedes Mal, wenn wir lachen, werden Informationen an das Gehirn[10] gesendet, die Hormone[11] produzieren und gute Laune machen. Und das ist, wie wissenschaftliche Untersuchungen zeigen, gut für die Gesundheit. Regelmäßiges Lachen stärkt das Immunsystem, reduziert[12] Schmerz, baut Stress ab, hilft bei Depressionen und hohem Blutdruck. Deshalb sagt man auch: Lachen ist die beste Medizin. Lachen ist aber auch das beste Mittel gegen jede Art von Angst: Denn durch das Lachen gewinnt der Mensch mehr Vertrauen in sich selbst, und Angst wird in Mut und Lebensfreude verwandelt. Man wird insgesamt fröhlicher, optimistischer[13] und regt sich nicht mehr so schnell auf.

»Lachen ist die beste Medizin«

6 Fitness die (Sg.): fit sein
7 anlächeln: jemanden freundlich ansehen
8 quietschen: helle Laute von sich geben
9 schmunzeln: lächeln, weil man etwas lustig findet
10 Gehirn das, -e: Organ im Kopf, mit dem wir denken
11 Hormon das, -e: chemischer Stoff im Körper
12 reduzieren: kleiner machen, abbauen

4

Was aber, wenn man keinen Humor hat? Kein Problem, meinen professionelle Lachtrainer. Die Technik des Lachens kann man in ihren Lachseminaren lernen. Ob aber auch ein Sinn für Humor erlernt werden kann, ist nicht klar. Einer der Führenden auf dem Gebiet der Lachforschung, der Züricher Wissenschaftler Willibald Ruch, beschäftigt sich zurzeit mit dieser Frage.

13 optimistisch sein: Jemand, der positiv denkt, ist optimistisch.

WÖRTER ZUM THEMA

Wiese die, -n
Huhn das, ¨-er
Lach-
Lachklub der, -s
Lachübung die, -en
Lachyoga das (Sg.)
Lachtrainer der, -
Lachseminar das, -e
Lachforschung die (Sg.)
Bewegung die, -en
Stimmung die (Sg.)
Methode die, -n
Jogging das (Sg.)
Mut der (Sg.)
Vertrauen das (Sg.)
Humor der (Sg.)
Wissenschaft die, -en
Wissenschaftler der, -/Wissenschaftlerin die, -nen

laut / leise
fröhlich / traurig
beliebt / unbeliebt
optimistisch / pessimistisch

lachen über + Akk.
lächeln
atmen
gute / schlechte Laune machen, haben (hatte, hat gehabt)
Humor haben

3 **Lesen Sie den Text noch einmal. Markieren Sie im Text die Antworten zu den Fragen a–f aus Aufgabe 2. Sprechen Sie dann im Kurs.**

4 **Lesen Sie den Witz und erzählen Sie.**

Gehen zwei Zahnstocher durch den Wald. Plötzlich läuft ihnen ein Igel über den Weg. Sagt der eine Zahnstocher zum anderen: „Du, ich wusste gar nicht, dass hier ein Bus fährt."

Finden Sie den Witz lustig?
Erzählen Sie gern Witze?
Können Sie sich Witze gut merken?
Welche Witze finden Sie gut / blöd?
Werden in Ihrem Land oft Witze erzählt? Welche?

13

Lebensmittel: *Was gibt es wo?*

Hunger und Durst hat jeder Mensch und zwar ziemlich oft. Eines Ihrer ersten Gespräche in Deutschland haben Sie deshalb ganz sicher beim Einkauf von Lebensmitteln. Da ist es gut, schon ein paar Informationen zu haben: Welche Lebensmittel gibt es hier eigentlich? Wo bekomme ich sie? Wohin gehe ich, wenn ich besondere Wünsche habe? Einiges dazu finden Sie in diesem Text.

»Guten Appetit!«

2

A

Wir sind im Jahr 1900. Ganz Deutschland ist voll ungesunder Lebensmittel. Da! Was ist das? In der Stadt Wuppertal und bald auch in anderen Städten öffnen Läden, die sich **„Reformhaus"** nennen. Dort bekommt man nur gesunde Sachen, zum Beispiel Vollkornbrot und Obstsäfte.

Reformhäuser gibt es auch heute noch, aber sie teilen sich den Markt inzwischen mit vielen anderen Naturkostläden[1] und Biomärkten. Das Geschäft mit den garantiert[2] gesunden Lebensmitteln läuft sehr gut. In großen Städten gibt es auch immer mehr Bio-Supermärkte.

1 Naturkost die (Sg.): natürliche Nahrungsmittel (ohne Chemie)
2 garantiert: unbedingt, etwas ist sicher

3

B

Mal ehrlich: Haben Sie noch genug Zeit, Ihr Essen selbst zu kochen? Immer weniger Deutsche beantworten diese Frage mit Ja. Sie greifen lieber zu Fertiggerichten und besonders gerne zu Tiefkühlkost[3]. 39,3 Kilo, so hoch war der Pro-Kopf-Verbrauch in Deutschland vor zwei Jahren. Das sind 79 Prozent mehr als vor 20 Jahren. Die **Tiefkühltruhen**[4] der Supermärkte sind heute so groß und voll wie nie zuvor. Man bekommt dort alles, was man sich wünscht: Pizza, Fisch, Fleisch, Gemüse, Eiscreme, Kuchen, exotische Menüs und vieles mehr. Guten Appetit …!

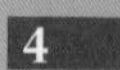

C

Wo spart Hans Mustermann, der durchschnittliche Deutsche? Bei der Kleidung?

3 Tiefkühlkost die (Sg.): bei tiefen Temperaturen gefrorene Lebensmittel
4 Tiefkühltruhe die, -n: Gerät, in dem man gefrorene Lebensmittel kühlt

1 Sehen Sie die Fotos an und lesen Sie den ersten Textabschnitt. Kreuzen Sie an: Worum geht es im Text?

Im Text
a ○ lernt man, was man beim Einkaufen von Lebensmitteln sagen kann.
b ○ geht es um verschiedene Einkaufsmöglichkeiten in Deutschland.

2 Lesen Sie den Text zu Ende (Abschnitt 2–5) und ergänzen Sie: Welche Überschrift passt zu welchem Abschnitt?

a Immer offen ___
b Schnell ___
c Ökologisch ___
d Billig ___

Nicht gerne! Beim Urlaub? Natürlich nicht! Beim Auto? Niemals! ... Tja, dann bleibt nur noch Essen und Trinken. **Lebensmittel-Discounter** machen in Deutschland sehr gute Geschäfte. Sie haben ihre Läden (Filialen) in allen deutschen Städten. Man findet bei ihnen oft wirklich sehr günstige Angebote. Wenn Sie Tomaten in Dosen, billige Schokolade und preiswerte Getränke suchen, gehen Sie ruhig hin. Auch frische Lebensmittel bekommen Sie dort inzwischen.

5

Es ist Sonntag. Sie haben Appetit auf ein Toastbrot mit Schinken und Ei. Aber Ihr Kühlschrank ist leer und Toastbrot haben Sie auch keines mehr. Was tun? In den Supermarkt gehen und einkaufen?

Sie vergessen wohl, dass Sie in Deutschland sind, im Land der vielen Regeln! „Ladenschlussgesetz“ heißt eine davon. Sie bestimmt, wann unsere Geschäfte offen sind und wann nicht. Sonntags bleiben die Läden deshalb fast immer zu. Toastbrot mit Schinken und Ei also erst morgen früh?

Aber nein! Gehen Sie einfach zur nächsten offenen **Tankstelle**! Dort bekommen Sie nicht nur Benzin, sondern auch Toast, Eier, Schinken und viele andere Lebensmittel. Und das Tag und Nacht. Warum? Für Tankstellen, Flughäfen und Bahnhöfe gibt es eine Sonderregel. Reisende brauchen schließlich auch nachts etwas zu essen und zu trinken.

WÖRTER ZUM THEMA

Lebensmittel das, -
Lebensmittel-Discounter der, -
Bio-
Bio-Laden der, ¨
Bio-Markt der, ¨e
Bio-Produkt das, -e
Laden der, ¨
Naturkostladen der, ¨
Reformhaus das, ¨er
Markt der, ¨e
Supermarkt der, ¨e
Geschäft das, -e
Filiale die, -n
Gericht das, -e
Fertiggericht das, -e
Angebot das, -e
Sonderangebot das, -e
Tankstelle die, -n
Benzin das (Sg.)

gesund / ungesund
voll / leer
preiswert / teuer
offen / geschlossen

Hunger / Durst haben (hatte, hat gehabt)
einkaufen
kochen
sparen

3 **Lesen Sie den Text noch einmal und kreuzen Sie an: Was ist richtig, was ist falsch?**

		richtig	falsch
a	Öko-Lebensmittel gibt es in Deutschland erst seit kurzer Zeit.	○	○
b	Bio-Produkte werden immer beliebter.	○	○
c	Immer mehr Leute haben wenig Zeit zum Kochen und kaufen fertige Gerichte aus der Tiefkühltruhe.	○	○
d	Das Angebot bei Tiefkühl-Produkten ist noch nicht so groß.	○	○
e	Viele Deutsche wollen nicht so viel für Lebensmittel bezahlen und gehen deshalb beim Discounter einkaufen.	○	○
f	Beim Discounter kann man kein frisches Obst und Gemüse kaufen.	○	○
g	Tankstellen und normale Geschäfte haben nicht die gleichen Öffnungszeiten.	○	○
h	Auch in Tankstellen kann man Lebensmittel kaufen.	○	○

4 **Wo kaufen Sie Ihre Lebensmittel ein? Warum? Erzählen Sie.**

14

Unser *tägliches Brot*

„Von Anfang an war mir klar, was das Beste an Deutschland ist – oder *zumindest*[1] eins vom Besten: das Brot nämlich.“ Dieser Satz ist von Robert Cooper, einem *Gesandten*[2] der Britischen Botschaft[3] in Deutschland. Er sagt, was viele Menschen aus dem Ausland denken, wenn sie eines der deutschsprachigen Länder besuchen.

»Da ist für jeden Geschmack etwas dabei!«

Natürlich gibt es auch woanders gute Bäcker. Aber unsere sind besonders vielseitig und *kreativ*[4]. Aus deutschen Backöfen kommen Tag für Tag mehr als 300 verschiedene Brotsorten! Da ist für jeden Geschmack etwas dabei[5]:

helles Weizenbrot, dunkles Roggenbrot, graues Mischbrot

Wir haben saftige, schwarze Roggenbrote, *knusprige*[6] oder weiche Weizenbrote, graue Mischbrote – gewürzt[7] oder ungewürzt.

Sonnenblumen-Vollkornbrot

Wer es besonders *herzhaft*[8] haben will, nimmt eines der vielen Vollkornbrote, entweder aus reinem Korn oder gemischt mit *Kürbis- oder Sonnenblumenkernen.*

Dazu kommen dann noch etwa 1200 Sorten „Kleinteile“, wie Brötchen oder Stangen in allen denkbaren Variationen[9].

Käsebrötchen und Bierstange

1 zumindest: wenigstens
2 Gesandte der, -n: jemand, der an einer Botschaft arbeitet, Diplomat
3 Botschaft die, -en: Vertretung eines Staates im Ausland
4 kreativ sein: voller neuer und guter Ideen sein
5 Da ist für jeden Geschmack etwas dabei: Jeder findet das, was ihm schmeckt.
6 knusprig: ein Brot ist knusprig, wenn es eine harte Außenseite hat
7 gewürzt: Ein Gericht ist gewürzt, wenn man Salz und Pfeffer oder andere Gewürze dazu gibt.
8 herzhaft: mit einem kräftigen Geschmack
9 Variation die, -en: hier: verschiedene Arten

1 **Sehen Sie die Fotos an und lesen Sie die Überschrift. Was wissen Sie über das Thema „Brot“ in den deutschsprachigen Ländern? Sammeln Sie.**

Brot

2 **Lesen Sie den Text. Markieren Sie die Antworten auf die Fragen a–e im Text. Sprechen Sie dann im Kurs.**

a Wer war Robert Cooper und was hat ihm besonders gut in Deutschland gefallen?
b Wie viele Brotsorten gibt es in Deutschland?
c Was sind „Kleinteile“? Was ist das Besondere an den Kleinteilen?
d Welches Gebäck kennt man in der ganzen Welt?
e Wie viel Brot isst man in Deutschland? Wie ist das in anderen europäischen Ländern?

Stern-, Mohn- und Sesambrötchen

Solches Kleingebäck kann mit Sesam oder Mohn bestreut oder mit Käse überbacken sein. Es kann auch Nüsse, Zwiebeln oder *Speck*[10] enthalten. Das Angebot ist sehr groß und jeder findet das, was ihm schmeckt.

Weltbekannt sind die braunen, mit Salz bestreuten Brezeln. Ihre schöne glatte Oberfläche bekommen sie, weil sie vor dem Backen in Lauge, also in gesalzenes Wasser, getaucht werden. Sieht das nicht alles sehr gut und sehr lecker[11] aus?

10 Speck der (Sg.): (fetter) Teil vom Fleisch
11 lecker: wenn etwas gut schmeckt

Brezel

Kein Wunder also, dass Brot und Getreide bei unserer Ernährung die Hauptrolle spielen. 85 Kilo Brot isst jeder Deutsche durchschnittlich im Jahr. Mit fast einem halben Pfund pro Tag und Nase stehen wir auf Platz eins in Europa.

Wörter zum Thema

Brot das, -e
Vollkornbrot das, -e
Sorte die, -n
Brotsorte die, -n
Käsesorte die, -n
Brötchen das, - (auch Semmel die, -n)
(Laugen-)Brezel die, -n
Bäcker der, -
Backofen der, ¨
Geschmack der (Sg.)
Getreide das (Sg.)
Ernährung die (Sg.)
Nahrungsmittel das, -
Käse der (Sg.)
Salz das (Sg.)
Zwiebel die, -n
Pfund das (Sg.)
Kilogramm das (Sg.)

saftig / trocken
weich / hart

essen (aß, hat gegessen)
backen (backte, hat gebacken)
schmecken

3 „Brot“ kommt im Deutschen in vielen Redewendungen vor. Lesen Sie und ergänzen Sie: Welche Erklärung passt zu welcher Redewendung?

a Der Mensch lebt nicht vom Brot allein.
b Sie müssen jetzt kleine Brötchen backen.
c Das ist unser tägliches Brot.
d Sie lässt sich die Butter nicht vom Brot nehmen.
e Er steht in Lohn und Brot.
f Das ist ein hartes Brot.

☐ Man muss schwer arbeiten, wenn man sein Ziel erreichen will.
☐ Er hat eine feste Arbeit.
☐ Zum Leben braucht man mehr als etwas zu essen.
☐ Sie müssen sparen.
☐ Sie passt gut auf sich auf und lässt sich von anderen Leuten nicht ärgern.
☐ Das machen wir jeden Tag.

4 Welches Nahrungsmittel ist in Ihrem Land so wichtig? Gibt es auch Redewendungen? Erzählen Sie.

15

Sind die Deutschen *Bierweltmeister*?

1

Wenn es darum geht, welches Volk am meisten Bier trinkt, bekommen die Deutschen nur die Bronzemedaille[1]. Sie schlucken[2] 108 Liter Gerstensaft[3] pro Einwohner und Jahr. Damit liegen sie knapp hinter den Österreichern, die mit 109 Litern auf Platz zwei kommen, der Meistertitel geht aber an die Tschechische Republik. Mit 158 Litern pro Jahr und Einwohner erreichen die Tschechen beim Bierkonsum den ersten Platz.[4]

A

2

Mit etwa 10 Milliarden Litern pro Jahr produzieren die Deutschen zwar fast ein Viertel des Biers auf dem europäischen Kontinent und sind damit mit großem Abstand Europameister. Aber in den USA und in China wird noch viel mehr Bier hergestellt. In der Bier-WM bleibt für Deutschland also auch nur die Bronzemedaille.

3

Unter den zwölf größten Brauereien[5] der Welt ist keine einzige deutsche. Deutsche Brauhäuser sind in der Regel kleine oder mittelständische Betriebe. Kein Wunder also, dass von den insgesamt 1600 europäischen Brauereien etwa 1300 in Deutschland liegen.

1 Bronze die (Sg.): rotbraune Metallmischung
2 schlucken: aus dem Mund in den Magen bringen
3 Gerste die (Sg.): Getreidesorte, mit Gerstensaft ist hier Bier gemeint
4 Die Zahlen sind von 2008.
5 Brauerei die, -en: dort wird Bier gemacht, gebraut

B

4

Ein Gebiet, auf dem die Deutschen tatsächlich Weltmeister sind, ist das Gebiet der Bierkultur. Nirgendwo auf der Welt gibt es eine solche Vielfalt[6] verschiedener Biersorten und Biermarken wie in Deutschland. Und in keinem anderen Land spielen jahrhundertealte Brautraditionen noch immer eine so große Rolle.

5

Da gibt es zum Beispiel das „Deutsche Reinheitsgebot" aus dem Jahr 1516. Nach diesem Gebot[7] sind beim Bierbrauen nur vier Zutaten erlaubt: Wasser, Malz[8], Hopfen[9] und Hefe[10]. Seit fast 500 Jahren darf keine deutsche Brauerei etwas anderes zur Bierherstellung verwenden.

6

Das hohe Niveau der Braukunst in Deutschland sorgt dafür, dass die deutschen Brauereierzeugnisse[11] weltweit einen ausgezeichneten Ruf haben[12]. Deshalb exportiert Deutschland auch dreimal so viel Bier, wie es importiert. Aber Vielfalt und Qualität haben ihren Preis und der Konkurrenzdruck durch billigeres und

6 Vielfalt die (Sg.): viele unterschiedliche Sorten
7 Gebot das, -e: etwas, was man tun muss, weil es ein Gesetz bzw. eine feste Regel ist
8 Malz das (Sg.): Getreide, das erst ins Wasser gelegt und dann getrocknet wird
9 Hopfen der (Sg.): Pflanze, die an hohen Stangen wächst, zum Bierbrauen wird die Frucht verwendet
10 Hefe die (Sg.): Organismus, der bewirkt, dass Brot- oder Kuchenteig größer und Flüssigkeit zu Alkohol wird
11 Erzeugnis das, -se: Produkt, Ware
12 einen guten Ruf haben: beliebt sein

1 **Lesen Sie die Überschrift. Was denken Sie: Sind die Deutschen Bierweltmeister? Lesen Sie dann die Abschnitte 1 und 8: War Ihre Vermutung richtig?**

Ich denke / glaube / meine / vermute, dass ...

2 **Lesen Sie den Text. Markieren Sie die Antworten auf die Fragen a–e im Text. Sprechen Sie dann im Kurs.**

a In welchen Ländern trinkt man am meisten Bier?
b Wo wird das meiste Bier produziert?
c Was ist für deutsche Brauereien „typisch"?
d Wie viele Zutaten darf deutsches Bier haben?
e Die Deutschen trinken ihr Bier. Was machen sie noch damit?

„charakterloseres“
Bier aus riesigen
45 Industrieanlagen wächst von Jahr zu Jahr.
Immer mehr kleine Brauereien werden von
den Kosten aufgefressen und müssen mit der
Bierproduktion aufhören. Die 15 größten deutschen Betriebe produzieren heute bereits
50 mehr als zwei Drittel des gesamten deutschen
Biers.

7

Dazu kommt, dass Bier im gesamten deutsch-
sprachigen Raum nicht mehr im Trend[13] liegt.
Während der Verbrauch von alkoholfreien
55 Getränken immer weiter zunimmt, sinkt der
Bierkonsum Jahr für Jahr: Trank der Durch-
schnittsdeutsche vor 20 Jahren noch 142 Liter
Bier pro Jahr, so sind es jetzt nur noch 108
Liter. Zum Vergleich: Der Pro-Kopf-Konsum
60 von Mineralwasser stieg in Deutschland von 13
Litern im Jahr 1970 auf heute über 90 Liter.

8

Für Biertrinker ist Deutschland trotzdem auch
heute noch ein echtes Paradies. Ob in Bayern,
in Sachsen oder in Friesland, ob in München,

13 Trend der, -s: Richtung, in die sich etwas entwickelt, z.B. Modetrend

65 *»Na dann: Prost!«* Köln, Düsseldorf oder Berlin
– überall findet man viele
hervorragende Biere. Bier-

freunde aus aller Welt besuchen das Oktober-
fest in München. Es ist das größte Bierfest der
70 Welt. Die Deutschen sind eben doch Bierweltmeister! Na dann: Prost!

WÖRTER ZUM THEMA

Volk das, ¨-er
Einwohner der, - / Einwohnerin die, -nen
Kontinent der, -e
Bier das, -e
Biersorte die, -n
Biermarke die, -n
Bierherstellung die (Sg.)
Bierproduktion die (Sg.)
Brauerei die, -en
Brau-
Brauhaus das, ¨-er
Brautradition die, -en
Betrieb der, -e
Qualität die, -en
Getränk das, -e
Alkohol der (Sg.)
Fest das, -e

rein / unrein

trinken (trank, hat getrunken)
produzieren
herstellen
exportieren / importieren

3 **Lesen Sie den Text noch einmal und ergänzen Sie: Wo steht das im Text?**

a Man sagt, dass Deutschland ein Land mit Bierkultur ist, denn nirgendwo gibt es so viele verschiedene Biersorten und Biermarken wie dort. Zeile ____ bis ____
b Alte Brautraditionen sind für die deutschen Bierbrauer immer noch wichtig. Deshalb benutzen sie immer noch „Brau-Rezepte“ von früher. Zeile ____ bis ____
c Das „Reinheitsgebot“ regelt, welche Zutaten man zum Bierbrauen nehmen darf. Zeile ____ bis ____
d Immer mehr kleine Brauereien in Deutschland müssen schließen, weil sie ihr Bier nicht so billig verkaufen können wie große Bierproduzenten. Zeile ____ bis ____
e Wenn der Bierkonsum sinkt, bedeutet das, dass immer weniger Leute Bier trinken. Zeile ____ bis ____

4 **Gibt es in Ihrem Land ein „typisches“ Getränk? Erzählen Sie.**

16

Als *Gastschüler* in Deutschland

AFS, eine der größten Jugendaustausch-Organisationen weltweit, hat Austauschschüler[1] aus der ganzen Welt, die ein Jahr in Deutschland verbringen, zu einem Treffen eingeladen. Die Schüler und Schülerinnen konnten sich über ihren Aufenthalt in Deutschland und das Leben in einer deutschen Gastfamilie unterhalten. In der Abschlussdiskussion betonten die Schüler immer wieder, wie wichtig die Auslandserfahrung für sie sei und wie viel sie schon gelernt hätten. Und damit meinten sie nicht allein, dass sich ihre Deutschkenntnisse verbessert haben, sondern vor allem interkulturelle Erfahrungen. In einem waren sich alle einig: Es gibt zwar viele Unterschiede zwischen ihrem Herkunftsland und der deutschen Kultur, aber je länger man in Deutschland lebt, umso besser kann man die Unterschiede verstehen und sogar akzeptieren[2]. Gegen Ende der Veranstaltung hat AFS die Gastschüler gebeten, auf die folgende Frage zu antworten: „Was hat euch in Deutschland am meisten überrascht?" Die Antworten sollen den zukünftigen Gastschülern mit auf den Weg gegeben[3] werden. Hier eine kleine Auswahl:

Li aus China

„Ich war völlig verblüfft[4], dass in Deutschland Hunde auf den Straßen herumlaufen. Das wäre in China undenkbar – als ob lauter Schweine in Berlin oder Köln spazieren gingen ... Zuerst hatte ich Angst, auf die Straße zu gehen, aber dann habe ich mich allmählich daran gewöhnt."

»Damit habe ich nicht gerechnet«

„Meine Gasteltern haben gedacht, dass ich den Tisch decke und dass ich mein Bett selber mache. Damit habe ich überhaupt nicht gerechnet, also, ich meine, das habe ich gar nicht erwartet! Ich wusste gar nicht, wie das geht. Bei mir zu Hause machen das alles die Hausangestellten. Ich war erstaunt[5], dass in Deutschland so früh zu Mittag gegessen wird, in meiner Gastfamilie schon um 12 Uhr 30 oder 13 Uhr! Bei uns isst man erst gegen 14 oder 15 Uhr. Und morgens gab es Vollkornbrot mit Marmelade und keinerlei Wurst. Aber inzwischen liebe ich die ‚deutsche Brotkultur'."

Fernanda aus Mexiko

1 Austausch der (Sg.): hier: Schüler 1 aus einem Land lebt für einige Zeit bei der Familie von Schüler 2 in einem anderen Land. Danach lebt Schüler 2 in der Familie von Schüler 1.
2 akzeptieren: zu etwas Ja sagen
3 jemandem etwas mit auf den Weg geben: jemandem eine Sache bzw. eine Information beim Verabschieden mitgeben, damit er sie in Zukunft nutzen kann
4 verblüfft sein: überrascht sein
5 erstaunt sein: sich wundern, etwas seltsam finden

1 **Lesen Sie den Text bis Zeile 25. Markieren Sie die Antworten auf die Fragen a–c im Text. Sprechen Sie dann im Kurs.**

a Wer hat wen eingeladen? b Warum? c Welche Frage wurde zum Schluss gestellt?

2 **Wer hat das gesagt? Lesen Sie die Aussagen und ergänzen Sie die Namen.**

a Pünktlichkeit spielt in Deutschland eine große Rolle. __________
b Man spricht in Deutschland sehr offen über schwierige Themen und Probleme. __________
c Das Essen und die Essenszeiten sind in Deutschland ganz anders. __________
d Die Deutschen sind umweltbewusst und sparsam. __________

Lucyna aus Polen

Als ich mit meinen neuen Freunden in ein Café gegangen bin, habe ich erwartet, dass einer von uns die gesamte Rechnung bezahlt. So ist es bei uns in Polen üblich. In Deutschland aber zahlt jeder für sich, auch wenn man mit seinen besten Freunden ausgeht. Zuerst habe ich gedacht: Hört in Deutschland etwa beim Geld die Freundschaft auf?

Nael aus Ägypten

Mich hat verblüfft, mit welchem Ernst in Deutschland Energie gespart wird. Ich wohnte in einem Mehrfamilienhaus und wurde von unserem Nachbarn ermahnt[6], das Licht im Hausflur auszuschalten. Ich weiß nicht, ob er einfach nur Geld sparen wollte oder ob es ihm um die Ökologie[7] ging, denn in Deutschland sind alle Umweltschützer.

In Brasilien gibt es eine „hora brasileira“ (einen ungefähren Zeitpunkt), und eine Verabredung kann ein unverbindliches[8] Versprechen

Cou aus Brasilien

sein. Deshalb habe ich nicht gewusst, wie verbindlich Treffen und Termine in Deutschland sind. Es ist mir immer wieder passiert, dass ich jemanden warten ließ, ohne mir einer Schuld bewusst zu sein[9].

Manuel aus Peru

In Deutschland werden die Dinge so direkt ausgesprochen. In Peru erzählt man eher eine Geschichte, wenn man etwas sagen will. Die Konflikte in der Schule oder in meiner Gastfamilie zum Beispiel wurden offen zum Thema gemacht und Probleme wurden direkt benannt. Ich konnte da oft nicht mitreden – nicht weil mein Deutsch zu schlecht war, sondern weil ich die Dinge nicht so direkt ansprechen wollte.

6 ermahnen: jemandem sagen, dass er etwas tun soll
7 Ökologie die (Sg.): das Verhältnis von Menschen, Tieren und Pflanzen zueinander
8 unverbindlich sein: man muss nicht unbedingt tun, was man gesagt hat
9 sich einer Schuld bewusst sein: wissen, dass man Schuld hat

WÖRTER ZUM THEMA

Jugend die (Sg.)
Austausch der (Sg.)
Jugendaustausch der (Sg.)
Schüleraustausch der (Sg.)
Organisation die, -en
Gastschüler der, - / Gastschülerin die, -nen
Gastfamilie die, -n
Gasteltern die (Pl.)
Erfahrung die, -en
Auslandserfahrung die, -en
Kenntnis die, -se
Deutschkenntnisse (Pl.)
Herkunftsland das, ¨-er
Kultur die, -en
Veranstaltung die, -en
Freundschaft die, -en

üblich / unüblich

überrascht sein (war, ist gewesen) über + Akk.
sich gewöhnen an + Akk.
erwarten
versprechen
Versprechen das, -
sich verabreden
Verabredung die, -en

e In Deutschland sollte man im Haushalt mithelfen und seine Sachen selbst in Ordnung halten. ______

f In Deutschland sieht man viele Hunde auf den Straßen. ______

g Die Deutschen bezahlen in der Regel getrennt, wenn sie mit Freunden Essen gehen. ______

3 Waren Sie schon einmal im Ausland oder in einem deutschsprachigen Land? Was hat Sie dort überrascht? Erzählen Sie.

Was mich überrascht / erstaunt hat, war, dass ...
Was ich nicht erwartet habe, war, dass ...
Ehrlich gesagt musste ich mich zunächst an ... gewöhnen.
Das kannte ich so noch nicht.

4 Was könnte Menschen, die Ihr Land besuchen, überraschen? Berichten Sie.

17

Die Schulbank neben dem Arbeitsplatz: Über das *duale Ausbildungssystem*

Michael ist 16 Jahre alt. Vor Kurzem hat er seinen Realschulabschluss gemacht und nun eine Lehre als Industriemechaniker begonnen. Er möchte Maschinenbauer werden und hat zum Glück eine Lehrstelle[1] bei einer Firma in seiner Heimatstadt bekommen. Drei Tage hat er nun schon im Betrieb gearbeitet. Gerade fährt Michael mit seinem Fahrrad am Betriebsgelände vorbei. Fast hätte er angehalten, aber heute muss er noch ein Stück weiterfahren. Denn an diesem Tag geht Michael nicht zur Arbeit, sondern zur Berufsschule.

Als Lehrling im Betrieb

Michaels Berufsausbildung ist zwei-geteilt in Theorie und Praxis. Der Betrieb muss zwölf Stunden in der Woche auf Michaels Arbeitskraft verzichten. In dieser Zeit hat er Unterricht in der Berufsschule. Diese Zweiteilung der Berufsausbildung nennt man *duale Ausbildung*. Diese gibt es nur in Deutschland, in der Schweiz, in Österreich und in Südtirol. Das duale Berufsausbildungssystem wird weltweit gelobt, und auch Michael findet, dass die Mischung von schulischer und praktischer Ausbildung eine gute Idee ist. Er weiß aber, dass es auch Konflikte[2] zwischen der Schule und der Firma gibt. Beispielsweise wird oft darüber diskutiert, was gelernt werden soll und wie viel Schule überhaupt sein muss.

Michael ist bei seiner neuen Schule angekommen. „Ich will mir mein eigenes Urteil bilden[3]", sagt er sich und geht in den ersten Unterricht.

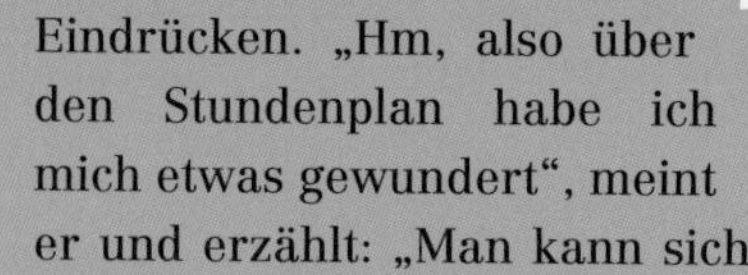

Als Schüler in der Berufsschule

In der Mittagspause treffen wir Michael wieder und fragen ihn nach seinen ersten Eindrücken. „Hm, also über den Stundenplan habe ich mich etwas gewundert", meint er und erzählt: „Man kann sich schon fragen, warum ein Maschinenbauer Deutschunterricht braucht. Und wir sollen hier endlich lernen, schön und ordentlich zu schreiben und zu zeichnen, hat unser Lehrer gesagt. Da haben alle nur den Kopf geschüttelt. Aber der Lehrer hat es uns erklärt: „Bevor man eine Maschine baut, muss man sie richtig beschreiben und ordentlich zeichnen können." Das haben wir natürlich verstanden.

Nach der Pause muss Michael wieder in den Unterricht. Heute hat er noch Mathematik, Wirtschaftskunde und Religion. Er ist schon ganz gespannt, was das Fach Religion mit seiner Ausbildung zu tun hat. Wie der Lehrer diesen Zusammenhang wohl erklären wird? Doch der Lehrer muss gar keinen Zusammenhang zwischen Religion und Maschinenbau erklären. Es ist eben die Idee der Berufsschulen, dass neben berufsbezogenen Fächern (ca. 60% der Unterrichtszeit) auch berufsübergreifende Fächer wie beispielsweise Kommunikation und Sozialkunde, Sport und Gesundheitsförderung und eben auch Religion unterrichtet werden.

Um fünf Uhr nachmittags kommt Michael aus der Schule. Er ist ganz schön müde nach seinem „ersten Schultag". „Die erste Mathematikstunde war wirklich schwierig", denkt er. Dabei war er in der Realschule immer sehr gut in Mathematik. Aber im Maschinenbau läuft ohne Mathematik eben gar nichts, da muss man rechnen können. Die Religionsstunde hat Michael sehr gut gefallen. „Eine Maschine", so hat der Lehrer gesagt, „läuft auch ohne

1 Lehrstelle die, -n: Ausbildungsplatz
2 Konflikt der, -e: hier: Streitpunkt
3 sich ein eigenes Urteil bilden: sich eine eigene Meinung machen

1 Sehen Sie die Fotos an und lesen Sie die Überschrift: Was bedeutet „duales Ausbildungssystem" wohl? Lesen Sie dann den Text bis Zeile 33. Waren Ihre Vermutungen richtig?

Ich vermute / glaube , das Wort „duales Ausbildungssystem" bedeutet, dass ...
Der Begriff „duales Ausbildungssystem" bedeutet wahrscheinlich, dass ...

»Ohne Mathematik läuft gar nichts!«

Religion, aber ob wir jede Maschine bauen sollten, das wissen wir nicht ohne die Religion." „Mal sehen, was mein Ausbilder im Betrieb dazu sagt", denkt Michael.

Michaels Ausbilder hat aber nicht viel Zeit für solche Fragen. Denn im Unternehmen kommt es vor allem darauf an[4], dass die Maschinen gebaut werden. Außerdem sind die Betriebe oft hoch spezialisiert[5] und die Ausbilder in den Betrieben halten die Berufsschulausbildung meist für zu allgemein. Überhaupt klagt man in den Unternehmen über die hohen Kosten dieser „doppelten" Ausbildung. Michael hingegen ist für die Schulbank neben dem Arbeitsplatz, für die Theorie neben der Praxis. Und nach dem ersten Tag findet er auch die allgemeine Ausbildung neben der fachlichen ganz gut. Außerdem kann er in der Berufsschule sogar Zusatzqualifikationen[6] erwerben[7], die ein Betrieb ihm nicht bieten kann.

Es ist halb sechs und Michael ist endlich wieder zu Hause. Als er sein Fahrrad abschließt, denkt er darüber nach, dass es heutzutage gar nicht mehr sicher ist, dass ein Betrieb seine Lehrlinge nach der Lehre weiterbeschäftigt. Eine gute und breite Bildung eröffnet da weitere berufliche Möglichkeiten. Michael hat recht. In der Tat bieten die Unternehmen zum einen zu wenige Lehrstellen an und zum anderen übernehmen sie ihre Lehrlinge nicht mehr so selbstverständlich wie früher. Doch Michael ist voller Hoffnung. Er hat einen guten Schulabschluss und nun hat er drei Jahre Zeit, im Betrieb zu zeigen, was er kann und wie viel er lernt. Und ein bisschen Geld verdient er dabei auch schon.

4 es kommt darauf an: es ist wichtig, dass ...
5 spezialisiert: sich auf ein bestimmtes Gebiet, Fach oder Thema konzentrieren und darüber sehr viel wissen
6 Zusatzqualifikation die, -en: sich beruflich verbessern, weil man zum Beispiel einen weiteren Abschluss macht
7 erwerben (erwarb, hat erworben): bekommen

Wörter zum Thema

Ausbildung die (Sg.)
Berufsausbildung die (Sg.)
Ausbilder der, - / Ausbilderin die, -nen
Lehre die, -n
Lehrstelle die, -n
Lehrling der, -e
Betrieb der, -e
Firma die, Firmen
Unternehmen das, -
Arbeit die, -en
Arbeits-
Arbeitskraft die, ¨-e
Arbeitsstelle die, -n
Beruf der, -e
Schule die, -n
Berufsschule die, -n
Realschule die, -n
Hauptschule die, -n
Grundschule die, -n
Unterricht der (Sg.)
Fach das, ¨-er
Abschluss der, ¨-e
Schulabschluss der, ¨-e

eine Lehre machen als + Nom. / zu + Dat.
eine Ausbildung machen als + Nom. / zu + Dat.
arbeiten als + Nom.
Geld verdienen
loben
übernehmen (übernahm, hat übernommen)

2 Lesen Sie die Stichwörter, die Fragen (a–c) und den Text. Ergänzen Sie: Was wissen Sie über Michael und sein Leben?

a Alter? / Schulabschluss? / Berufswunsch?
b Wie viele Stunden pro Woche in der Schule? / Schulfächer?
c Schulschluss? / Dauer der Ausbildung?

3 Lesen Sie den Text noch einmal. Markieren Sie die Antworten auf die Fragen a–e im Text. Sprechen Sie dann im Kurs.

a Warum wundert sich Michael über den Stundenplan?
b Warum haben Berufsschüler auch solche Fächer wie Deutschunterricht und Religion?
c Wie haben Michael der Mathematik- und Religionsunterricht gefallen?
d Was denken Ausbilder in einem Betrieb über die Berufsschule und das duale Ausbildungssystem?
e Warum findet Michael die Berufsschule gut?

4 Wie funktioniert das in Ihrem Land, wenn man wie Michael Maschinenbauer werden will? Erzählen Sie.

18

Kinder, Küche ... *und Karriere?*

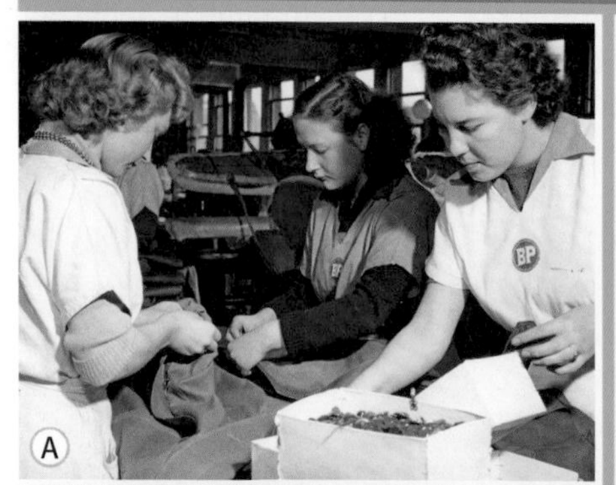
A

B

C

D

1

Das schöne Mädchen von Seite 1 ...

Das schöne Mädchen von Seite 1,
das will ich haben, und weiter keins,
vom Katalog aus dem Versandhaus[1],
wünsch ich das Mädchen von Seite 1!

Dieses Lied singt Howard Carpendale 1970; es zeigt Frauen so, wie der normale Mann sie gerne haben will: Sind sie schön genug, bestellt er sich eine. Die kommt dann und gehört ihm. So einfach ist das.

»Wir haben die Schnauze voll!«

„Nicht mit uns!", rufen viele junge Frauen in den 1970er-Jahren. Sie wollen nicht mehr warten, bis jemand sie „bestellt". Sie wollen selbst über ihr Leben entscheiden[2]. „Wir sind Frauen. Wir sind viele. Wir haben die Schnauze voll[3]", rufen sie und haben Erfolg: In Deutschland diskutiert man nun endlich auch über die Probleme und Wünsche von Mädchen und Frauen.

Vieles ändert sich in diesen Jahren. Die Situation der Frauen verbessert[4] sich deutlich. Zum Beispiel kann der Ehemann nicht mehr bestimmen[5], ob seine Frau zur Arbeit gehen darf oder nicht. Auch für eine bessere Ausbildung der Mädchen und Frauen tut man mehr. 1963 sind unter den jungen Menschen mit Abitur nur etwa ein Viertel Frauen, 1976 sind es schon über 40 Prozent und heute sogar mehr als die Hälfte.

2

Das bisschen Haushalt ...

„Das bisschen Haushalt macht sich von allein", sagt mein Mann.
„Das bisschen Haushalt kann so schlimm nicht sein", sagt mein Mann.

Mit diesem Lied über eine gestresste Hausfrau hat die deutsche Sängerin Johanna von Koczian 1977 einen ihrer größten Erfolge. Das Bild mit der Staubsaugerwerbung ist aus den 50er Jahren, also noch 20 Jahre älter. Inzwischen sind der deutsche Mann und die deutsche Frau im Haushalt doch sicher gleichberechtigt[6], oder?

1 Versandhaus das, ¨er: Kaufhaus, bei dem man Produkte aus einem Katalog bestellen kann
2 über sein Leben entscheiden: wählen können, was man in seinem Leben machen möchte und was nicht
3 die Schnauze voll haben: keine Lust mehr haben, genug haben
4 sich verbessern: besser werden
5 bestimmen: entscheiden
6 gleichberechtigt: die gleichen Rechte haben

1 **Sehen Sie die Fotos an und lesen Sie die Überschrift. Worum geht es in dem Text wohl? Überfliegen Sie dann den Text. War Ihre Vermutung richtig?**

2 **Lesen Sie den Text und ergänzen Sie: Welches Foto passt zu welchem Abschnitt?**

Foto	A	B	C	D
Abschnitt				

Nein, stimmt leider nicht. Frauen machen bei uns noch immer den größten Teil der Hausarbeit. Nehmen wir zum Beispiel ein verheiratetes Paar, bei dem beide Partner arbeiten: Die Frau ist in der Regel 30 Stunden pro Woche mit Hausarbeiten beschäftigt, der Mann nur zehn Stunden.

3

Gleiches Geld für gleiche Arbeit?

Im Jahr 1960 verdienen (west-)deutsche Frauen nur etwa halb so viel wie ihre männlichen Kollegen. Sie arbeiten meistens in schlecht bezahlten Berufen. Männer haben in der Regel eine viel bessere Ausbildung und bekommen deshalb interessantere Stellen und mehr Geld.

Heute ist die Situation der arbeitenden Frauen in Deutschland zwar besser, aber noch nicht wirklich gut. Inzwischen bekommen sie etwa 75 % vom Durchschnittsverdienst der Männer. Trotzdem haben die meisten Frauen auch heute viel weniger Geld. Eine Ursache: 45% der Frauen arbeiten in Teilzeitjobs. Bei den Männern sind es nur sechs Prozent. Zweitens erreichen viel weniger Frauen in ihren Berufen eine höhere oder sogar führende Position.

4

Na also! – Deutschland hat eine Bundeskanzlerin

Alle vier Jahre wählen die Deutschen ihr nationales Parlament, den Deutschen Bundestag, und der wählt danach unseren neuen Bundeskanzler[7]. Nun gut, das ist bekannt. Aber seit der Wahl zum 16. Deutschen Bundestag im Herbst 2005 gibt es etwas wirklich Neues: Nach Herrn Adenauer, Herrn Erhard, Herrn Kiesinger, Herrn Brandt, Herrn Schmidt, Herrn Kohl und Herrn Schröder haben wir mit Angela Merkel nun zum ersten Mal eine Frau Bundeskanzlerin. Warum kommt das erst so spät? Nun, vielleicht müssen wir einfach unser Grundgesetz[8] ändern. Dort steht nämlich: „Der Bundeskanzler wird auf Vorschlag des Bundespräsidenten ... gewählt.“[9] Unser Verbesserungsvorschlag: „Der Bundeskanzler oder die Bundeskanzlerin wird auf Vorschlag des Bundespräsidenten oder der Bundespräsidentin gewählt.“ Vielleicht klappt es dann besser und Deutschland bekommt öfter mal eine Regierungschefin!

---

7 Bundeskanzler der, -: Chef der Regierung
8 Im Grundgesetz für die Bundesrepublik Deutschland vom 23. Mai 1949 stehen die Grundrechte, die wichtigsten Rechte der Menschen in Deutschland.
9 Artikel 63, Absatz 1

3 **Was steht im Text? Lesen Sie den Text noch einmal und kreuzen Sie an: Früher, heute oder früher *und* heute?**

	früher	heute
a Frauen werden selbstbewusst und sagen, was sie wollen.	○	○
b Männer können nicht entscheiden, ob ihre Ehefrauen arbeiten dürfen oder nicht.	○	○
c Über 50% der Abiturienten sind Frauen.	○	○
d Die Arbeit im Haushalt ist vor allem Frauensache.	○	○
e Männer verdienen doppelt so viel wie Frauen.	○	○
f Mehr Frauen als Männer arbeiten in Teilzeit.	○	○
g Frauen haben im Beruf oft weniger Verantwortung als Männer.	○	○

4 **Wie ist die Situation der Frauen in Ihrem Land? Sind Männer und Frauen dort gleichberechtigt? Erzählen Sie.**

WÖRTER ZUM THEMA

Frau die, -en / Mann der, ¨-er
Ehefrau die, -en / Ehemann der, ¨-er
Hausfrau die, -en / Hausmann der, ¨-er
Ausbildung die (Sg.)
Arbeit die, -en
Hausarbeit die (Sg.)
Haushalt der (Sg.)
Beruf der, -e
Stelle die, -n
Job der, -s
Teilzeit die / Vollzeit die (Sg.)
Verdienst der, -e
Durchschnittsverdienst der (Sg.)
Bundes-
Bundeskanzler der, - / Bundeskanzlerin die, -nen
Bundestag der (Sg.)
Gesetz das, -e

gleichberechtigt
fleißig / faul
gut / schlecht bezahlt
männlich / weiblich
modern
demokratisch / undemokratisch

zur Arbeit gehen (ging, ist gegangen)
diskutieren über + Akk.
Geld verdienen
wählen

19

Sonntag: Ruhe- oder Werktag?

1

»Es ist nicht alle Tage Sonntag!« Dieser Satz bedeutet, dass es im Leben nicht nur so angenehme Tage wie den Sonntag gibt. Für viele Menschen in den deutschsprachigen Ländern ist der Sonntag der schönste Wochentag, weil sie dann nicht arbeiten müssen und sie ihre freie Zeit mit der Familie oder Freunden verbringen können. Aber ist der Sonntag wirklich 5 für alle ein besonderer Tag? Oder ist er für bestimmte Berufsgruppen oft auch ein ganz normaler Werk- und Arbeitstag, also ein Tag wie jeder andere auch?

2

A

Eigentlich darf man am Sonntag nicht arbeiten. Das sagt das Gesetz[1]. Man darf es nur, wenn die Arbeiten notwendig sind und man sie nicht an einem anderen Tag machen kann. Aber welche Arbeiten sind notwendig? Muss man unbedingt sonntags ein Auto reparieren oder seinen Pass verlängern können?

In Deutschland, Österreich und in der Schweiz möchten viele Menschen 20 auch sonntags einkaufen gehen. Kirchen- und Gewerkschaftsorganisationen[2] wollen allerdings, dass die Geschäfte geschlossen bleiben. Denn sie haben Angst, dass die Sonntagsruhe ganz verschwindet und der Sonntag immer 25 mehr zum normalen Alltag wird. Mit ihrer Aktion „Allianz für den freien Sonntag" sammeln sie Unterschriften. Sie wollen, dass in allen Ländern der EU der Sonntag ein Ruhetag bleibt.

30 Trotzdem: Schon jetzt arbeiten sonntags fast 10 Millionen Menschen in Deutschland. Es gibt offensichtlich viele notwendige Arbeiten …

1 Gesetz das, -e: In diesem Text kann man die Regeln für das Zusammenleben in einem Staat nachlesen.
2 Gewerkschaft die, -en: Die Gewerkschaft vertritt die Interessen von Arbeitnehmern.

3

FR
GÖTZ APOTHEKE Untere Hauptstr. 5 Eching
SA
LOHWALD-APOTHEKE Siedlerstr. 31 Unterschleißheim-Lohhof
BRUNNEN-APOTHEKE Am Brunnen 18 Kirchheim
SO
FALKEN-APOTHEKE Münchner Str. 38 Ismaning
ANNA-APOTHEKE Bahnhofstr. 18 c Neufahrn
B

Wenn jemand krank ist, einen Unfall hat oder wenn ein Haus brennt, erwartet man, dass 35 Ärzte und Schwestern da sind und helfen, dass Rettungsdienst, Polizei oder Feuerwehr kommen – auch am Sonntag. Auch Handwerker und Techniker müssen sonntags bereit sein: Zum Beispiel dann, wenn jemand in einem 40 Aufzug festsitzt oder ohne Schlüssel vor der Wohnungstür steht.

Auch Bahnen, Busse und andere Verkehrsmittel fahren sonntags. Das geht nur, weil Fahrerinnen und Fahrer in den Fahrzeugen und 45 viele andere Mitarbeiter im Hintergrund[3] arbeiten, also Sonntagsdienst haben. Auch Wasser, Strom, Gas und Heizung soll es natürlich am Sonntag geben – ebenso Radio und Fernsehen. Viele Menschen müssen deshalb

3 Hintergrund der, ¨-e: da, wo man etwas nicht gleich sieht

1 **Was meinen Sie: Was ist ein Ruhetag, was ist ein Werktag? Lesen Sie dann den Text bis Zeile 5. War Ihre Vermutung richtig?**

Ein Ruhetag könnte ein Tag sein, an dem man / die Leute / die Geschäfte …
Ein Werktag ist vermutlich ein Tag, an dem man / die Leute / die Geschäfte …

2 **Sehen Sie die Fotos an: Welche Fotos zeigen den Sonntag eher als Ruhetag, welche eher als Werktag?**

50 auch bei den Energie-Werken, den Medien, den Informationsdiensten und den Call-Centern am Sonntag arbeiten. Und auch Bauern und Landarbeiter sind am Sonntag im Dienst. Denn vor allem die Tiere können nicht bis 55 Montag auf ihr Fressen und einen sauberen Stall warten.

All diese Arbeiten sind notwendig, weil man sie nicht aufschieben[4] kann. Wie aber sieht es mit der Freizeit aus? Müssen Menschen wirklich 60 sonntags arbeiten, weil andere an diesem Tag Spaß haben möchten? Für die meisten ist der Sonntag ein Tag zum Ausruhen und Erholen. Es ist der Tag für die Familie, für einen Ausflug, für einen Besuch im Museum oder Zoo, 65 für ein Essen im Restaurant oder für sportliche Aktivitäten. Das schöne Sonntagsprogramm mit Sport, Spiel oder Kultur geht aber nur, wenn andere an diesem Tag arbeiten.

4 aufschieben (schob auf, hat aufgeschoben): etwas später machen

5

Und weil Arbeitnehmerinnen und Arbeitneh- 70 mer per Gesetz ein Recht auf Freizeit haben, können Angestellte im Museum, Tierpflegerinnen und Tierpfleger, Kellnerinnen und Kellner, Bus- und Taxifahrerinnen und -fahrer am Sonntag arbeiten. Das Gesetz bestimmt aber 75 auch, dass diese Berufsgruppen für die Sonntagsarbeit eine Entschädigung[5] bekommen. Für viele bedeutet das: Sie bekommen einen Ersatz-Ruhetag und einen finanziellen Ausgleich. Außerdem müssen sie erklären, dass 80 sie mit der Sonntagsarbeit einverstanden sind.

5 Entschädigung die, hier: für die Arbeit am Sonntag mehr Geld bekommen

3 **Lesen Sie den Text und ergänzen Sie: Welche Überschrift passt zu welchem Abschnitt?**

		Abschnitt
a	Sonntagsdienst	___
b	Sonntagsruhe	___
c	Sonntagsarbeit	___
d	Sonntag: Ruhe- oder Werktag?	___
e	Sonntagsaktivitäten	___

4 **Lesen Sie den Text noch einmal. Markieren Sie die Antworten auf die Fragen a–c im Text. Sprechen Sie dann im Kurs.**

a Wer möchte, dass die Geschäfte sonntags geschlossen bleiben? Warum?
b In welchen Berufen muss man auch sonntags arbeiten? Warum?
c Was bekommen Arbeitnehmer, die sonntags arbeiten müssen?

5 **Wie sieht ein idealer Sonntag (oder „Ruhetag") für Sie aus? Erzählen Sie.**

Wann stehen Sie auf? Was und wo essen Sie?
Wen treffen Sie? Was unternehmen Sie?

Wörter zum Thema

Tag der, -e
Sonntag der, -e
Wochentag der, -e
Werktag der, -e
Ruhetag der, -e
Alltag der (Sg.)
Freizeit die (Sg.)
Arbeit die, -en
Arbeitnehmer der, - / Arbeitnehmerin die, -nen
Feuerwehr die, -en
Handwerker der, -
Verkehrsmittel das, -
Gas das, -e
Strom der (Sg.)
Bauer der, -n / Bäuerin die, -nen
Spiel das, -e
Spaß der (Sg.)
Kultur die (Sg.)
Angestellte der / die, -n

arbeiten / freihaben (hatte frei, hat freigehabt)
seine Zeit verbringen (verbrachte, hat verbracht) mit + Dat.
(den Pass) verlängern
(Unterschriften) sammeln
sich ausruhen (von + Dat.)
sich erholen (von + Dat.)

20

Was am *Arbeitsplatz* wichtig ist

Von je 100 Arbeitnehmern finden sehr wichtig

unbefristeter Arbeitsvertrag	73
Einkommen, das angemessenen Lebensstandard sichert	67
gut informiert zu werden, um Arbeitsaufgaben erledigen zu können	65
persönlich respektiert zu werden	64
Gesundheitsschutz	53
genügend Zeit, um die Aufgaben zur eigenen Zufriedenheit erledigen zu können	44
Weiterentwicklung der Fähigkeiten	44
Unterstützung durch Vorgesetzte	44
Kollegialität	39
Betriebskultur, die Zusammenarbeit fördert	39
Einbringen eigener Ideen	37
selbstständige Planung u. Einteilung der Arbeit	33
individuelle Arbeitszeiten	31
Arbeit, die der Gesellschaft nutzt	25
Aufstiegschancen	22

Mehrfachnennungen möglich

I ♥ work

Quelle: INIFES Stand 2009 © Globus 3294

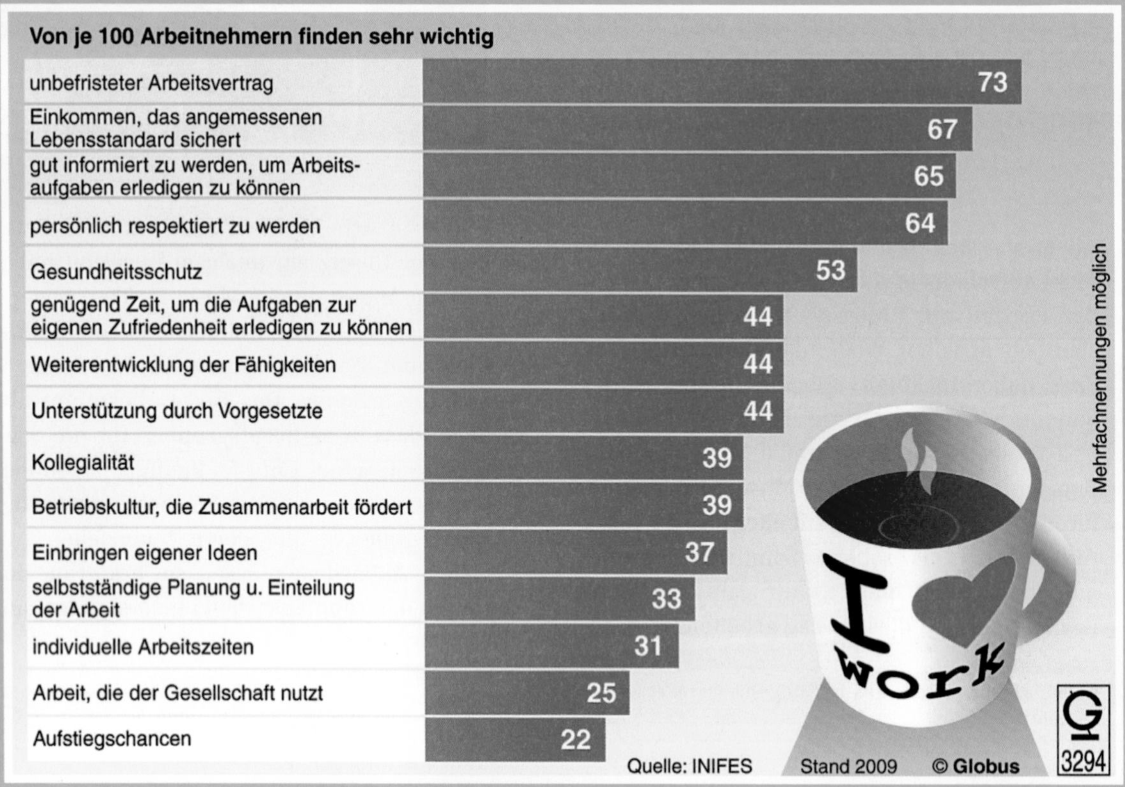

Arbeit ist auch nicht mehr das, was sie früher einmal war. Viele Dinge werden heute von Maschinen und nicht mehr von Menschen erledigt. Die Angst, seinen Arbeitsplatz zu verlieren, ist groß und die Bezahlung ist manchmal so schlecht, dass es nicht zum Leben reicht. Kein Wunder, dass ein sicherer Arbeitsplatz mit einem unbefristeten Vertrag und ein festes Einkommen, das hoch genug ist, um gut leben zu können, als Erstes genannt werden, wenn man Arbeitnehmer fragt, was für sie bei der Arbeit wichtig ist.

Viele Beschäftigte einer Firma möchten aber auch, dass sie von ihren Vorgesetzten so gut informiert werden, dass sie ihre Aufgaben erledigen können. Bei Umfragen[1] steht dieser Wunsch an dritter Stelle, gefolgt von dem Wunsch, persönlich respektiert zu werden. Das bedeutet, dass es für viele Leute eine große Rolle spielt, als Mensch geachtet und geschätzt zu werden.

Welche anderen Wünsche werden noch genannt, wenn es um die Frage geht, was am Arbeitsplatz wichtig ist? Hier eine Auswahl von Antworten von vier Personen, die ganz unterschiedliche Berufe haben.

»gute Arbeit leisten« Für **Ursula T.** ist es ganz klar: Sie möchte stolz auf ihre Arbeit sein. Sie arbeitet als Grafik-Designerin und ihr gefällt, dass sie vieles selbst entscheiden darf. Sie findet aber, dass ihr Chef sie zu wenig lobt[2], wenn sie gute Arbeit leistet.

1 Umfrage die, -n: einer bestimmten Gruppe von Menschen Fragen zu einem bestimmten Thema stellen

2 loben: sagen, dass man zufrieden ist

1 Sehen Sie die Grafik an und lesen Sie den Text bis Zeile 19. Was ist den Menschen in der Arbeit wichtig?

Die meisten / Fast alle / Viele meinen, dass ...
Die Mehrheit / Etwas mehr / Weniger als die Hälfte der Menschen findet, dass ...
... Prozent der Menschen findet / ist der Meinung, dass ...
Für ... Prozent der Menschen ist wichtig, dass ...

Für den Ingenieur Markus S. sieht es anders aus. Er ist verheiratet und hat zwei Kinder. Da hat ein gutes Gehalt oberste Priorität. Außerdem findet er gut, dass seine Firma familienfreundlich ist, eine eigene Kinderbetreuung anbietet und Verständnis zeigt, wenn er wegen der Kinder mal zu Hause bleiben muss und von dort aus arbeiten kann.

Stefan B. hat überhaupt keine Lust mehr zu arbeiten. Er arbeitet in einem großen Immobilienbüro. Dort wird ihm alles vorgeschrieben[3]: seine Aufgaben und seine Termine. Er hat keine Kontrolle über die Arbeitseinteilung und das Arbeitstempo. Wenn er Vorschläge zur Verbesserung macht, wird freundlich genickt, aber nichts passiert. Er weiß, er wäre motivierter, wenn er mehr Möglichkeiten zur Mitsprache hätte und seine eigenen Ideen einbringen könnte.

Auch für Sara M. wird es Zeit, sich Gedanken über ihren Arbeitsplatz zu machen. Sie hat Maschinenbau studiert und kann sich bei dem heutigen Fachkräftemangel genau aussuchen, wo sie arbeiten möchte. Sie sucht ein Unternehmen, das nicht nur am Gewinn interessiert ist, sondern das fair mit den Beschäftigten umgeht. Sie möchte sich beruflich weiterentwickeln und findet es wichtig, dass ihre zukünftige Firma gute Möglichkeiten zur Weiterbildung bietet.

Ob Arbeitgeber Arbeitnehmern einen sicheren Arbeitsplatz und ein gutes Einkommen bieten können, hängt nicht nur von der jeweiligen Firma ab, sondern auch von der Wirtschaftslage im Land und in der Welt. Aber ob Mitarbeiter genug Informationen bekommen, um ihre Arbeit gut machen zu können, und menschlich behandelt werden, liegt zum größten Teil in der Verantwortung des Managements[4].

3 jemandem etwas vorschreiben: jemandem sagen, was er tun muss

4 Management das (Sg.): die Geschäftsführung

WÖRTER ZUM THEMA

Arbeit die, -en
Arbeitsplatz der, ¨-e
Arbeitnehmer der, - / Arbeitnehmerin die, -nen
Arbeitgeber der, - / Arbeitgeberin die, -nen
Einkommen das, -
Bezahlung die (Sg.)
Gehalt das, ¨-er
Kollege der, -n / Kollegin die, -nen
Mitarbeiter der, - / Mitarbeiterin die, -nen
Beschäftigte der / die, -n
Vorgesetzte der / die, -n
Chef der, -s / Chefin die, -nen
Betrieb der, -e
Unternehmen das, -
Firma die, Firmen
Wirtschaft die (Sg.)
Weiterbildung die, -en

freundlich / unfreundlich
familienfreundlich
fair / unfair

erledigen
(den Arbeitsplatz) verlieren (verlor, hat verloren)
behandeln
loben
sich (beruflich) weiterentwickeln

2 Lesen Sie den Text bis Zeile 59. Zu welcher Person passt das? Ergänzen Sie die Namen.

a Das Wichtigste für ________________ ist das Einkommen und die Möglichkeit, auch einmal von zu Hause aus zu arbeiten.
b ________________ findet es positiv, wenn die Atmosphäre in der Firma gut ist und das Unternehmen den Mitarbeitern hilft, im Beruf weiterzukommen.
c ________________ ist unzufrieden, weil er in seiner Firma nicht entscheiden darf, wie er sich und seine Arbeit organisiert.
d Für ________________ sind selbstständiges Arbeiten und gute Beurteilungen vom Chef wichtig.

3 Lesen Sie den Text zu Ende und ergänzen Sie: Was steht im Text von Zeile 60 bis Zeile 68?

a Firmen können ihren Mitarbeitern vor allem dann einen sicheren Arbeitsplatz und ein gutes Einkommen bieten, wenn ...
b Das Management einer Firma sollte dafür sorgen, dass ...

4 Was ist für Sie in der Arbeit wichtig? Machen Sie Ihre eigene Grafik und erzählen Sie.

21

Wie man sich *im Beruf* höflich und korrekt verhält

1

Richtige Umgangsformen[1] sind nicht nur im Privatleben, sondern auch im Beruf von großer Bedeutung. Für die Karriere[2] sind sie sogar oft wichtiger als gute Zeugnisse! Wer sich unsicher ist, was man zum ersten Vorstellungsgespräch anzieht, wie man sich beim Geschäftsessen benimmt[3] oder was man tut, wenn in einem Meeting das Handy klingelt, der kann dies in speziellen „Etiketteseminaren"[4] für den Beruf lernen. In Deutschland hat das Interesse an solchen Schulungen[5] in den letzten Jahren immer mehr zugenommen. Benimm-Seminare für Berufseinsteiger boomen[6], ob an Volkshochschulen oder Unis. Einige wichtige Regeln, die man dort lernen kann, sind folgende:

2

Bei der Begrüßung stehen sowohl Herren als auch Damen auf. In Deutschland gibt man sich in formellen[7] Situationen in der Regel die Hand. Dabei reicht die / der Ranghöhere[8] als erster die Hand. Lassen Sie bei der Begrüßung nie die zweite Hand in der Hosentasche stecken! Das wirkt unhöflich.

1 Umgangsform die, -en: das Verhalten gegenüber anderen Menschen
2 Karriere die, -n: Erfolg im Beruf
3 sich benehmen (benahm sich, hat sich benommen): sich verhalten
4 Etiketteseminar das, -e: hier: Kurs, in dem man die Regeln für höfliches Verhalten lernt
5 die Schulung, -en: Seminar, Kurs, Fortbildung
6 boomen: sehr beliebt sein und deshalb stark wachsen

3

Falls Ihre Gesprächspartnerin / Ihr Gesprächspartner einen akademischen Titel besitzt, sollten Sie ihn in der Anrede nennen, z.B. Herr Professor Meier, Frau Doktor Schmidt. Doppelnamen werden in voller Länge ausgesprochen, zum Beispiel Frau Doktor Hüllenhagen-Wert – aber nur dann, wenn die / der Angesprochene Ihnen keine kürzere Variante anbietet. Besonders großer Wert wird auf die Anrede mit Titel in Österreich gelegt, wo Berufstitel einen festen Teil des Namens bilden, z.B. Herr Diplomingenieur Peters, Frau Magister Heine.

4

»ins Fettnäpfchen treten«

Auch beim Geschäftsessen sollten Sie sich richtig benehmen, um Ihre Geschäftspartner nicht zu verärgern und so vielleicht den Abschluss eines guten Geschäfts zu verhindern. Wer wo Platz nimmt, entscheidet die Gastgeberin / der Gastgeber oder die beruflich am höchsten stehende Person. Setzen Sie sich erst, nachdem Sie dazu aufgefordert wurden. Bei der Auswahl eines Essens im Restaurant sollte man das nehmen, was die Gastgeberin / der Gastgeber empfiehlt. So gehen Sie nicht das Risiko ein, ins Fettnäpfchen zu treten und ein zu teures Gericht zu wählen.

7 formell: offiziell
8 der / die Ranghöhere,-n: derjenige mit der höheren beruflichen Position

1 Sehen Sie die Fotos an und lesen Sie die Überschrift. Was meinen Sie: Was lernt man in „Etiketteseminaren"? Lesen Sie dann den Text bis Zeile 15. Waren Ihre Vermutungen richtig?

Ich denke / glaube / kann mir vorstellen / vermute, dass man in Etiketteseminaren lernt, was ... / wie ...
In Etiketteseminaren könnte es darum gehen, was ... / wie ...

5

Ihr Handy sollte in Meetings oder während eines Geschäftsessens auf gar keinen Fall klingeln. Auch der Vibrationsalarm[9] kann stören. Falls Sie einen wirklich wichtigen Anruf erwarten, sagen Sie dies vorher und gehen, wenn es klingelt, sofort aus dem Zimmer.

6

Beim Thema Kleidung geht es in deutschen Unternehmen eher konservativ zu. Herren greifen am besten zum dunklen Anzug, einem hellblauen oder weißen Hemd und einer dezenten[10] Krawatte. Damen sollten darauf achten, weder zu kurze Röcke oder Kleider, ärmellose Pullis und Blusen noch tiefe Dekolletés[11] und zu viel Schmuck zu tragen. Generell gilt: Nicht auffallen[12].

9 Vibrationsalarm der, -e: spezielles, lautloses Klingeln des Handys
10 dezent: geschmackvoll, unauffällig

7

Neben diesen und ähnlichen Regeln ist es immer wichtig, sich über die in einer Firma herrschende Unternehmenskultur[13] zu informieren. Hinweise hierzu können am besten die Arbeitskollegen geben.

11 das Dekolleté, -s: tiefer Ausschnitt bei einem Kleid, einer Bluse oder einem T-Shirt
12 auffallen (fiel auf, ist aufgefallen): durch eine Besonderheit die Aufmerksamkeit der anderen auf sich ziehen
13 Unternehmenskultur die, -en: Umgangsformen und Verhaltensregeln, die in einem Unternehmen gepflegt werden

Wörter zum Thema

Beruf der, -e
Erfolg der, -e
Karriere die, -n
Höflichkeit die (Sg.)
Verhalten das (Sg.)
Regel die, -n
Verhaltensregel die, -n
Seminar das, -e
Essen das, -
Geschäftsessen das, -
Gastgeber der, - / Gastgeberin die, -nen
Partner der, - / Partnerin die, -nen
Gesprächspartner der, - / Gesprächspartnerin die, -nen
Kollege der, -n / Kollegin die, -nen
Arbeitskollege der, -n / Arbeitskollegin die, -nen
Kleidung die (Sg.)
Anzug der, ¨-e
Krawatte die, -n
Schmuck der (Sg.)

höflich / unhöflich
korrekt

sich benehmen (benahm sich, hat sich benommen)
sich verhalten (verhielt sich, hat sich verhalten)
(sich) begrüßen

2 **Lesen Sie den Text zu Ende und ordnen Sie zu: In welchem Abschnitt (2 bis 6) erfahren Sie etwas über diese Themen?**

	Abschnitt
a Geschäftsessen	___
b Handy	___
c Begrüßung	___
d Kleidung	___
e Anrede	___

3 **Welche Regeln werden zu den Themen a–e aus Aufgabe 2 genannt? Suchen Sie die Informationen im Text und notieren Sie.**

Begrüßung: Alle stehen auf.

4 **Welche Regeln gibt es in Ihrem Land bei der Begrüßung, den Anredeformen, bei Geschäftsessen und bei den Themen Handy und Kleidung? Erzählen Sie.**

22

Die Deutschen und ihr Geld: *Ein „200 Jahre-Schnellkurs“*

Möchten Sie mit Textil[1]-Kaufmann Emil Fuchs mal schnell durch 200 Jahre Deutschland reisen? Mit unserer Zeitmaschine geht das ganz bequem und Sie lernen dabei auch noch etwas über Geld und Zoll[2] in den Jahren 1800, 1900 und 2000.

1800

Im Jahr 1800 ist Deutschland ein bunter Teppich aus vielen kleinen Ländern. Jedes dieser kleinen Länder hat seinen eigenen kleinen Herrn und seine eigene kleine Währung[3]!

Ein paar Beispiele? Bitte sehr:
Herzogtum Sachsen-Meiningen
Größe: 2468 km²
Währung: 1 Gulden = 60 Kreuzer
= 240 Pfennige

A

Großherzogtum Mecklenburg-Schwerin
Größe: 13 127 km²
Währung: 1 Mark Feinsilber
= 17 Zweidritteltaler

Ganz schön verschiedene Währungen, was? Das sind jetzt aber nur die von zwei Ländern. In Deutschland gibt es im Jahr 1800 fast 40 davon! Und jedes kleine Land hat natürlich auch einen eigenen Zoll. Es kostet Kaufmann Fuchs also sehr viel Zeit und noch mehr Geld, mit seinen Waren[4] durch Deutschland zu fahren.

»viel Zeit und Geld kosten«

1900

Wir sind im Jahr 1900. Deutschland heißt jetzt „Deutsches Reich“ und ist ein ziemlich großes Land in der Mitte von Europa. Die vielen kleinen deutschen Länder mit ihren kleinen Herren sind noch immer da. Aber in der Reichshauptstadt Berlin gibt es auch einen Herrscher[5] für das ganze Land: den deutschen Kaiser Wilhelm II.

Im Deutschen Reich gibt es keine Zölle mehr. Kaufmann Fuchs kann mit seinen Waren zum Beispiel von Hamburg nach Nürnberg fahren, ohne eine einzige Mark Zoll zu bezahlen. Ach ja, die Mark! Auch die Sache mit dem Geld ist jetzt viel einfacher. Es gibt nur noch eine deutsche Währung: 100 Pfennig sind eine Mark.

B

1 Textilien die (Pl.): Stoffe, Kleidung, Wäsche
2 Zoll der, ¨-e: dieses Geld zahlt Kaufmann Fuchs, wenn er in ein anderes Land reist, damit er dort seine Textilien verkaufen darf
3 Währung die, -en: Dollar, Euro, Pfund sind verschiedene Währungen
4 Ware die, -n: die Produkte, die Kaufmann Fuchs verkauft
5 Herrscher der, -: Person, die ein Land regiert, ein König oder ein Kaiser zum Beispiel

1 Lesen Sie die Jahreszahlen und sehen Sie die Fotos an. Was glauben Sie: Wovon handelt der Text?

Im Text geht es wohl um …
Ich glaube, der Text handelt vom / von der …

2 Lesen Sie den Text und ergänzen Sie: Was erfahren Sie über das Geld in Deutschland?

a Im Jahr 1800 gibt es ______________________.
b Im Jahr 1900 ______________________.
c Ab 2002 ______________________.

Das findet Kaufmann Fuchs sicher ganz toll, oder? Ach nein, darüber denkt er gar nicht mehr nach. Er hat nämlich schon wieder neue Probleme. Er möchte seine Textilien nun auch in anderen Ländern verkaufen. Aber da gibt es wieder Zölle, Zölle, Zölle! Und natürlich gibt es dort auch andere Währungen. So neu sind die Probleme also gar nicht.

2000

Jetzt sind wir im Jahr 2000. Mit der Zahl ZWEI kann man viel über Deutschland in der Zeit zwischen 1900 und 2000 sagen: Es gab zwei Weltkriege (von 1914 bis 1918 und von 1939 bis 1945) , zwei – wenn auch nicht vergleichbare – Diktaturen[6] (1933 bis 1945: den Nationalsozialismus und von 1945 bis 1989: den Sozialismus), und zwei deutsche Staaten (von 1949 bis 1989 die Deutsche Demokratische Republik (DDR) und seit 1949 die Bundesrepublik Deutschland (BRD)).

Aber seit der Wiedervereinigung (1990) von DDR und BRD ist Deutschland wieder ein Land. Es möchte ein freundlicher Partner aller anderen Länder und ein guter Nachbar in Europa sein. Ach ja, Europa! Seit 1992 ist Deutschland in der Europäischen Union. Und ab dem 1.1.2002 gibt es in zwölf europäischen Ländern nur noch eine Währung: 100 Eurocent sind ein Euro.

C

Der Handel[7] zwischen den 27 Ländern, die in der Europäischen Union (EU) sind, ist heute so einfach wie noch nie. Und bald kommen vielleicht wieder neue Länder dazu. Nun ist Kaufmann Fuchs aber wirklich zufrieden, was? Wie bitte? Zufrieden? Ein richtiger Kaufmann ist nie zufrieden!

6 Diktatur die, -en: Gegenteil von Demokratie: Der Herrscher (Diktator) hat die ganze Macht, das Volk muss tun, was der Diktator will.

7 Handel der (Sg.): das Kaufen und Verkaufen von Produkten

Wörter zum Thema

Kaufmann der, Kaufleute / Kauffrau die, -en
Geld das, -er
Zoll der, ¨-e
Währung die, -en
Ware die, -n
Europa (Sg.)
Hauptstadt die, ¨-e
Krieg der, -e
Staat der, -en
Wiedervereinigung die (Sg.)
Nachbar der, -n
Europäische Union die
Euro der, -s
Cent der, -s
Handel der (Sg.)

bequem / unbequem
bunt
eigen / fremd
verschieden / gleich
ganz
einfach / schwierig
neu / alt
freundlich / feindlich
gut / schlecht
europäisch
zufrieden / unzufrieden

reisen
kaufen
verkaufen
bezahlen

3 Lesen Sie den Text noch einmal und ordnen Sie zu: Welche Jahreszahlen passen?

Deutschland ...

a ist in der Europäischen Union. ☐ 1800
b hat einen Kaiser und eine Hauptstadt: Berlin. ☐ 1949–1989
c ist jetzt wiedervereinigt, das bedeutet: ein Land. ☐ 1992
d hat viele kleine Länder und viele verschiedene Herrscher. ☐ 1990
e – das sind zwei Staaten: die BRD und die DDR. ☐ 1900

4 Wie heißt die Währung in Ihrem Land? Wer oder was ist auf den Scheinen und Münzen abgebildet? Erzählen Sie.

Bei uns bezahlt man mit ...
Die Währung in unserem Land heißt ...
Auf der ...-Münze ist ... abgebildet.
Auf dem ...-Schein sieht man ...

23

Geld im Alltag

A

B

C

1

Automaten übernehmen in Deutschland immer mehr Arbeiten. Wer eine Fahrkarte, einen Parkschein oder Geld braucht, geht nicht mehr zu einer Person an einem Schalter, sondern zu einem Automaten. Sogar für Pakete gibt es inzwischen automatische Packstationen. Automaten sparen Geld: Verkehrsbetriebe, Post und Banken reduzieren[1] so ihre Kosten für Personal. Aber sind Automaten wirklich kundenfreundlich? Machen sie das Zahlen tatsächlich bequemer und einfacher? Nicht immer: Denn Automaten sind manchmal sehr wählerisch[2] und nehmen bestimmte Münzen oder manche Scheine nicht an. Und dann? Tja, spätestens dann wünscht man sich einen Schalter mit einer freundlichen Dame oder einem freundlichen Herrn.

2

»Danke, der Rest ist für Sie!«

Wenn man im Restaurant oder Café gegessen und getrunken hat und der Service gut war, dann gibt man der Kellnerin oder dem Kellner normalerweise ein Trinkgeld. In Deutschland sind das ca. 5 bis 10 Prozent vom Rechnungsbetrag. Wenn Speisen und Getränke 15 Euro gekostet haben, gibt man also zwischen einem und 1,50 Euro. Wer bar zahlt und das Geld passend hat, sagt „Vielen Dank, es stimmt so." oder „Danke sehr, der Rest ist für Sie". Übrigens: In Österreich heißt das Trinkgeld „Schmattes" und beträgt 10 bis 15 Prozent vom Rechnungsbetrag.

3

In Deutschland spenden[3] Menschen jährlich ungefähr drei bis fünf Milliarden Euro für Menschen und Tiere in Not. Die meisten Spender sind Privatpersonen, viele von ihnen sind älter als 65 Jahre. Sie spenden regelmäßig und nicht nur bei großen Katastrophen. Manchmal haben die Spender Angst, dass ihr Geld nicht an die richtige Adresse kommt. Aber in Deutschland, Österreich und der Schweiz prüfen unabhängige Institutionen, ob die Hilfsorganisationen die Spendengelder auch wirklich richtig verwenden.

4

Wenn jemand sein Auto falsch geparkt hat und ein Verkehrspolizist das merkt, dann gibt es meistens eine unangenehme Überraschung für

1 reduzieren: etwas niedriger / kleiner / weniger machen
2 wählerisch sein: nicht alles nehmen, eine Auswahl treffen
3 spenden: für einen bestimmten Zweck Geld geben

1 **Was sehen Sie auf den Fotos? Sprechen Sie.**

Auf dem ersten / zweiten / ... Foto sieht man, wie jemand / eine Person / ...
Das erste / zweite / ... Foto zeigt ...
Was auf dem ... Foto zu sehen ist, kann ich nicht genau erkennen. Vielleicht ist das ein / eine ...

2 **Lesen Sie den Text und ordnen Sie zu: Welches Foto passt zu welchem Abschnitt?**

Foto	A	B	C	D	E	F
Abschnitt						

den Falschparker. Am Autofenster klebt ein Zettel von der Polizei, ein Strafzettel oder „Knöllchen“: Das Wort wird in Deutschland 50 benutzt. Es kommt aus dem Rheinland und ist eine Kurzform von „Protokoll“. Ein Knöllchen bedeutet nichts Gutes: Denn meistens muss man eine Geldstrafe zahlen.

5

Eine Geldbörse liegt auf der Straße: Jemand 55 hat sie verloren und eine andere Person findet sie. Hat die eine Person Pech gehabt und die andere darf sich freuen? Nein, ganz so einfach ist das nicht. Denn wenn es mehr als 10 Euro sind, dann muss der Finder das Geld zum 60 Fundbüro oder zur Polizei bringen – so will es das Gesetz. Der ehrliche Finder hat dann aber auch ein Recht auf einen Finderlohn[4]: Beträgt der Wert bis zu 500 Euro, dann bekommt er fünf Prozent. Ist die Fundsache wertvoller, 65 dann sind es drei Prozent.

4 Finderlohn der (Sg.): Wenn jemand Geld findet und es zurückgibt, dann bekommt er meistens einen Teil von diesem Geld. Das ist der Finderlohn.

6

Kinder müssen erst lernen, wie sie vernünftig mit Geld umgehen. Deshalb ist es wichtig, dass sie regelmäßig einen bestimmten Geldbetrag bekommen – ein Taschengeld. Wie viel das ist, 70 hängt vom Einkommen der Eltern ab. Natürlich spielt auch das Alter der Kinder eine Rolle. Weil viele Eltern nicht wissen, wie viel Taschengeld sie ihren Kindern geben sollen, gibt es in vielen Eltern-Zeitschriften Vorschläge zu diesem 75 Thema. Man kann sich auch bei den deutschen Jugendämtern informieren.
Die Schweizer nennen das Taschengeld übrigens „Sackgeld“.

WÖRTER ZUM THEMA

Geld das, -er
Trinkgeld das, -er
Taschengeld das (Sg.)
Geld-
Geldstrafe die, -n
Geldbörse die, -n
Geldautomat der, -en
Münze die, -n
Schein der, -e
Kosten die (Pl.)
Strafe die, -n
Lohn der, ⸚e
Finderlohn der, ⸚e
Wert der, -e
Betrag der, ⸚e
Geldbetrag der, ⸚e
Rechnungsbetrag der, ⸚e

freundlich / unfreundlich
kundenfreundlich
bequem / unbequem
einfach / schwierig
automatisch
in bar / mit Karte (zahlen)
wertvoll / wertlos
regelmäßig / unregelmäßig
vernünftig / unvernünftig

sparen
(Strafe) zahlen
verwenden

3 **Lesen Sie den Text noch einmal und kreuzen Sie an: Was ist richtig, was ist falsch?**

		richtig	falsch
a	Fahrkarten kauft man in der Regel am Schalter.	○	○
b	In Österreich ist das Trinkgeld etwas höher als in Deutschland.	○	○
c	Gerade ältere Deutsche geben Geld, wenn Menschen oder auch Tiere in einer schwierigen Situation sind und Hilfe brauchen.	○	○
d	Knöllchen gibt es nur im Rheinland fürs Falschparken.	○	○
e	Wer Geld auf der Straße findet, darf es auf jeden Fall behalten.	○	○
f	Wie hoch das Taschengeld ist, entscheiden das Jugendamt und die Eltern zusammen.	○	○

4 **Wie ist das in Ihrem Land mit dem Bezahlen, dem Trink- und Taschengeld, dem Spenden und dem Finderlohn? Erzählen Sie.**

24

Ohne Moos[1] nichts los!

1

Dass diese Redewendung stimmt, merken nicht nur Erwachsene jeden Tag aufs Neue, sondern auch Jugendliche: Ob Disco, Kino oder Computer – heutzutage geht nichts mehr ohne Geld. Selbst der Fußball will bezahlt sein und auch wer sich mit Freunden trifft, kann dies hierzulande kaum mehr mit leeren Taschen tun.

»Ohne Moos nichts los!«

2

Kinder und Jugendliche zwischen 10 und 17 Jahren haben durchschnittlich 900 Euro im Jahr zu ihrer freien Verfügung[2]. Ein Drittel dieses Betrags bekommen die Kinder und Jugendlichen in Form von Taschengeld[3], ein Drittel erhalten sie als Geschenk zum Geburtstag, zu Weihnachten oder sonstigen Anlässen und ein Drittel verdienen sie selbst durch Nebenjobs oder dadurch, dass sie eine Ausbildung machen. Das Budget[4] steigt dabei mit zunehmendem Alter deutlich an: Wer älter ist, bekommt mehr Geld, gibt es aber auch gleich wieder aus. Dabei rinnt gerade den älteren Jugendlichen das Geld oft sehr schnell durch die Finger.

3

Das meiste Geld verwenden die Jugendlichen für Kleidung und Schuhe und das „Ausgehen". Dann folgt das Handy, das für sich genommen schon ein Viertel des Geldes „verschlingt". Beim Thema „Handy" gibt es auch die meisten Diskussionen mit den Eltern, die finden, dass ihre Kinder hier das Geld zum Fenster hinauswerfen, also zu viel telefonieren und zu viel Geld dafür ausgeben. Das ist kein Wunder,

1 Moos das (Sg.): Moos wächst dicht am Boden im Wald unter Bäumen und ist grün. Hier bedeutet das Wort „Geld".

2 etwas zur (freien) Verfügung haben: über etwas frei entscheiden können; mit etwas das machen können, was man möchte

3 Taschengeld das (Sg.): regelmäßig gezahlte Geldsumme für kleine persönliche Ausgaben (besonders für Kinder und Jugendliche)

4 Budget das, -s: das Geld, das jemandem zur Verfügung steht

1 **Lesen Sie die Überschrift. Was bedeutet die Redewendung „Ohne Moos nichts los"? Sprechen Sie im Kurs. Lesen Sie dann den ersten Textabschnitt. War Ihre Vermutung richtig?**

Diese Redewendung bedeutet vermutlich / wahrscheinlich, dass ...

2 **Lesen Sie den Text zu Ende und ergänzen Sie: Welcher Abschnitt passt zu welcher Frage? (Zu manchen Abschnitten gibt es mehr als eine Frage.)**

		Abschnitt
a	Wofür geben die Jugendlichen ihr Geld aus?	____
b	Wofür geben Jungen mehr Geld aus? Wofür geben Mädchen mehr Geld aus?	____
c	Welche Unterschiede gibt es zwischen Jungen und Mädchen beim Thema „Sparen"?	____
d	Woher bekommen die Jugendlichen ihr Geld?	____
e	Über welche Geldausgabe diskutieren Eltern und Jugendliche besonders oft?	____

denn obwohl Kinder und Jugendliche im Schnitt 18 Euro für das Handy bezahlen, tragen die Eltern zusätzlich oft noch einen großen Teil der Gesamtkosten.

Nach den Ausgaben fürs Handy kommen die Ausgaben für Medien wie Bücher und Zeitschriften, Musikaufnahmen und Videospiele. Mädchen geben außerdem Geld für Kosmetika aus, während sich Jungen öfter einmal eine Mahlzeit in einem Fast-Food-Restaurant leisten.

4

84% der Jugendlichen sparen. Im Schnitt haben deutsche Jugendliche unter 18 Jahren ein Sparguthaben[5] von 440 Euro. Dabei sparen die Jungen häufiger und auch mehr als die Mädchen. Was dagegen die Geldausgaben betrifft, sind die Mädchen sparsamer als die Jungen. Und das müssen sie auch sein, denn insgesamt steht ihnen weniger Geld zur Verfügung. Beim Taschengeld gibt es zwar keine Unterschiede, aber bei Geldgeschenken und beim selbst verdienten Geld kassieren[6] die Jungen mehr Geld als die Mädchen.

5 Sparguthaben das, -: Geld, das man gespart hat und das auf einem Bankkonto liegt
6 kassieren: Geld einnehmen / bekommen

Wörter zum Thema

Geld das (Sg.)
Taschengeld das (Sg.)
Drittel das (Sg.)
Viertel das (Sg.)
Betrag der, ¨-e
Geschenk das, -e
Geldgeschenk das, -e
Budget das, -s
Kosten die (Pl.)
Gesamtkosten die (Pl.)

leer / voll
durchschnittlich
sparsam / verschwenderisch

bezahlen
zur (freien) Verfügung haben (hatte, hat gehabt)
erhalten (erhielt, hat erhalten)
verdienen
ausgeben (gab aus, hat ausgegeben) für + Akk. / einnehmen (nahm ein, hat eingenommen)
verwenden für + Akk.
die Kosten tragen (trug, hat getragen) für + Akk.
sich etwas leisten
sparen für + Akk.

3 Welche Informationen aus dem Text gibt es zu diesen Zahlen? Ergänzen Sie.

a 440 €: ______________________
b 18 €: ______________________
c 900 €: ______________________

4 Suchen Sie die folgenden Redewendungen im Text und ergänzen Sie: Was bedeuten sie? Gibt es ähnliche Redewendungen auch in Ihrer Sprache? Erzählen Sie.

a »jemandem rinnt das Geld schnell durch die Finger« (Zeile 22–24):
____

b »etwas verschlingt viel Geld« (Zeile 28):
____

c »jemand wirft sein Geld zum Fenster hinaus« (Zeile 30–32):
____

d »sich etwas leisten« (Zeile 42–44):
____

25

Müllers *Müll*

A

In einem ganz normalen kleinen Haus in einer ganz normalen Gemeinde[1] wohnt eine ganz normale Kleinfamilie: die Müllers. Die Müllers leben wie Millionen andere deutsche Familien auch: Die Eltern arbeiten, man fährt ein- bis zweimal im Jahr in den Urlaub und ... man trennt seinen Müll. Wie bitte? Für viele Menschen außerhalb von Deutschland ist Mülltrennung etwas Neues und Unbekanntes. Georg, Marianne, Christoph und Lisa Müller erklären, wie es funktioniert.

»Wie bitte?«

B

BIOTONNE

Bioabfall

„Wir essen viel Obst und Gemüse", sagt Marianne Müller (37). „Die Abfälle, wie zum Beispiel Orangen- oder Kartoffelschalen, aber auch Teeblätter oder Eierschalen, sammle ich in der Küche in diesem Plastikbehälter[2]. Wenn er voll ist, bringe ich ihn raus zur Biotonne und die wird im Winter alle 14 Tage und im Sommer jede Woche geleert[3]."

1 Gemeinde die, -n: kleiner Ort, Dorf
2 Behälter der, -: Töpfe, Eimer, Dosen, Tonnen sind Behälter. Behälter kann man füllen.
3 leeren: leer machen

C

Altpapier

„Wir haben Glück", freut sich Georg Müller (39). „In vielen anderen Orten muss man das Altpapier selbst zum Container bringen. Bei uns wird es alle 14 Tage abgeholt. Das Papier, also zum Beispiel Eierkartons, Notizzettel, Briefkuverts oder Papiertüten, stecken wir in einen Plastiksack. Nur Zeitungen und Zeitschriften kommen nicht mit hinein. Die packe ich zu Bündeln[4] und lege sie am Abholtag zusammen mit den vollen Papier-säcken raus auf den Bürgersteig."

Altglas

D

„Ich bringe die leeren Flaschen und Gläser gerne zu den Altglascontainern. Das scheppert[5] so schön beim Reinwerfen!" lacht Lisa Müller (4). „Das durchsichtige Glas kommt in den Weißglas-Container, das braune in den Braunglas-Container und das grüne - natürlich in den Grünglas-Container! Aber man muss aufpassen, dass keine Deckel mehr auf den Gläsern oder Flaschen sind, denn die sind ja nicht aus Glas, sondern aus Metall oder aus Plastik und gehören in den gelben Sack."

4 Bündel das, -: hier: die Zeitungen sind zu einem Paket zusammengebunden
5 scheppern: Lärm, wenn Glas auf Glas fällt und dabei kaputtgeht

1 **Sehen Sie die Fotos an und lesen Sie den Text bis Zeile 17: Was wissen Sie über das Thema „Müll" in Deutschland? Sammeln Sie.**

2 **Lesen Sie den Text zu Ende und ordnen Sie zu: Welche Abfälle gehören wohin?**

a Obst- und Gemüsereste, Eierschalen
b alte Zeitungen, Papiertüten, Eierkartons
c leere Flaschen und Gläser
d leere Milchtüten, Joghurtbecher, Konservendosen
e kaputte Energiesparlampen, Spraydosen
f sonstiger Müll, Essensreste, volle Staubsaugerbeutel

☐ Altglascontainer
☐ Biotonne
☐ Sondermüll
☐ Restmülltonne
☐ Gelber Sack
☐ Altpapiercontainer

Gelber Sack

„Viele Verpackungen sind aus Plastik oder aus Metall, wie zum Beispiel Joghurtbecher oder Konservendosen. Die kommen bei uns alle in den gelben Sack. Auch Milchtüten aus Papier müssen mit hinein, weil sie innen eine Plastikschicht haben. Der gelbe Sack wird in unserer Gemeinde alle 14 Tage direkt vor dem Haus abgeholt. Praktisch, oder?"

Sondermüll

„Halbvolle Spraydosen[6] sind zwar aus Metall und Plastik. Man darf sie aber trotzdem nicht in den gelben Sack werfen", erklärt Christoph Müller (11). „Weil sie giftig sind, gehören sie in den Sondermüll. Deshalb bringe ich sie zusammen mit dieser kaputten Energiesparlampe zum Giftmobil. Das ist ein Lastwagen, der an jedem ersten Dienstag im Monat zur Bahnhofstraße kommt."

Restmüll

„Tja, und dann gibt es natürlich auch noch die ganz normale Mülltonne für den Restmüll. Hier kommt alles rein, was nach der Mülltrennung übrig bleibt. Das ist nicht mehr besonders viel, zum Beispiel gekochte Essensreste oder volle Staubsaugerbeutel. Die Restmülltonne wird bei uns jeden Montag geleert."

In Deutschland wird der Müll in vielen Haushalten tatsächlich so genau getrennt, denn Müll ist nicht einfach nur Abfall, den man wegwirft. Müll besteht aus wertvollen Rohstoffen[7], die man wiederverwenden kann. Aus Bioabfall kann man frische Erde für die Landwirtschaft oder den Garten gewinnen. Aus Altglas kann man neues Glas, aus Altpapier neues Papier machen und so weiter. Viele Deutsche sind von der Idee des „Recycling" überzeugt. Von Gemeinde zu Gemeinde, von Landkreis[8] zu Landkreis kann es Unterschiede geben, wie die Mülltrennung organisiert wird. Was bei den einen der „Gelbe Sack" ist, kann bei den anderen eine „Blaue Tonne" sein. Von der Familie Müller haben wir erfahren, wie die Mülltrennung in ihrer Gemeinde funktioniert.

6 Spraydose die, -n: Dose mit Inhalt. Den Inhalt kann man auf bestimmte Stellen sprühen.
7 Rohstoff der, -e: Stoff, aus dem man etwas herstellen kann

8 Landkreis der, -e: nach der Gemeinde nächstgrößere Form der politischen Verwaltung

Wörter zum Thema

Müll der (Sg.)
Biomüll der (Sg.)
Restmüll der (Sg.)
Sondermüll der (Sg.)
Mülltrennung die (Sg.)
Mülltonne die, -n
Tonne die, -n
Biotonne die, -n
Abfall der, ¨-e
Bioabfall der, ¨-e
Sack der, ¨-e
Plastiksack der, ¨-e
Container der, -
Altglascontainer der, -
Verpackung die, -en
Plastik das (Sg.)
Metall das, -e
Papier das, -e
Altpapier das (Sg.)
Glas das (hier: Sg.)
Altglas das (Sg.)
Rohstoff der, -e
Recycling das (Sg.)

voll / leer
giftig / ungiftig

sammeln
trennen
abholen
(aus-)leeren
wegwerfen (warf weg, hat weggeworfen)
wiederverwenden

3 Lesen Sie den Text noch einmal. Markieren Sie die Antworten auf die Fragen a–c im Text. Sprechen Sie dann im Kurs.

a Welche Abfälle werden bei den Müllers abgeholt? Welche Abfälle müssen Müllers selbst wegbringen?
b Was bedeutet „Recycling"? Welche Beispiele für „Recycling" werden genannt?
c Was ist die „Blaue Tonne"?

4 Was denken Sie über die Mülltrennung in Deutschland? Wird in Ihrem Land der Müll auch getrennt?

Welche verschiedenen Tonnen / Container gibt es?
Wann und wie oft wird der Müll abgeholt und welcher?

26

Wind *im Aufwind*

Windmühle

Windrad

Offshore-Windpark

„Das bringt nichts." ... „Die Dinger stören mich." ... „Das sieht nicht schön aus." ... „So etwas macht die Landschaft kaputt." ... „Wir sind für saubere Energie, aber bitte nicht in unserer Nähe!" ... „Das ist zu laut." ... „Damit kann man das Energieproblem nicht lösen."

Solche und ähnliche Meinungen hört man bei uns in Deutschland sehr oft, wenn über Windkraftanlagen gesprochen wird. Manche kann man schon verstehen. Bis zu 150 Meter hohe Türme und riesige Rotorblätter[1] – daran muss man sich wirklich erst gewöhnen.

Dabei liegt die letzte große Zeit der Windkraftnutzung erst gut 150 Jahre zurück. Mitte des 19. Jahrhunderts drehten sich 200 000 Windmühlen in Europa, 30 000 davon allein in Norddeutschland! Aber dann kam die Dampfmaschine[2] und machte die Menschen unabhängig vom Wind. Die Zeit der Kohle[3] und des Erdöls[4] begann. Mit schlimmen Folgen für Klima und Umwelt, wie wir inzwischen wissen.

Atomkraftwerke schienen da zunächst eine Lösung, „sauberen" Strom zu produzieren. Doch spätestens seit Fukushima ist klar: Auch diese Art der Energiegewinnung ist für die Menschen und die Umwelt sehr riskant. Deshalb wenden wir uns heute wieder stärker den sauberen und natürlichen Energiequellen[5] Sonne, Wasser und Wind zu[6]. Heute gibt es in Deutschland mehr als 21 000 moderne Windkraftanlagen, die mehr als 27 000 Megawattstunden Strom erzeugen[7]. Das sind zwar nur etwa 9% des Stromverbrauchs in unserem Land, aber immerhin knapp 20% der weltweit erzeugten Energie aus Windkraft. Damit liegt

1 Rotorblatt das, ¨er: Drehflügel
2 Dampfmaschine die, -n: Maschine, die den Druck von Wasserdampf in Energie umsetzt
3 Kohle die, -n: Brennstoff
4 Erdöl das (Sg.): Rohstoff, aus dem man z.B. Benzin und Petroleum macht
5 Quelle die, -n: Stelle, an der das Wasser direkt aus der Erde kommt; Ursprung
6 sich etwas oder jmdm. zuwenden (wandte sich zu, hat sich zugewandt): das Interesse auf eine Sache oder Person richten
7 erzeugen: produzieren

1 **Sehen Sie die Fotos an und lesen Sie die Überschrift. Worum geht es in dem Text wohl? Überfliegen Sie dann den Text. War Ihre Vermutung richtig?**

Im Text geht es vermutlich / wahrscheinlich darum, ...
Der Text handelt vielleicht davon, ...

2 **Lesen Sie den Text und markieren Sie die Antworten auf die Fragen a–f im Text. Sprechen Sie dann im Kurs.**

a Warum sind manche Menschen gegen Windkraftanlagen?
b Warum hat man keine Windmühlen mehr benutzt, um Energie zu gewinnen?
c Warum will man Kohle- oder Atomkraftwerke nicht weiter nutzen wie bisher?
d Wie soll es mit der Windkraft in Deutschland in Zukunft weitergehen?
e Wie wichtig ist die Windkraft für die deutsche Wirtschaft?
f Welches Bundesland produziert am meisten Strom in Windkraftanlagen?

Deutschland bei dieser Technologie an dritter Stelle knapp hinter den USA und China.

Die deutsche Regierung hat große Pläne für die Zukunft: Sie möchte, dass im Jahr 2030 mindestens ein Viertel unseres gesamten Stroms aus Windkraftwerken kommt. Dazu baut man in der Nord- und Ostsee sogenannte „Offshore-Windparks". Das sind Anlagen mit vielen großen Windkraftwerken mitten im Meer.

Gute Idee! Dort draußen stören sie wenigstens niemand, oder? Leider gibt es in Deutschland immer jemand, der sich gestört fühlt. Seltsamerweise sind es ausgerechnet Umweltschützer, die sich gegen die „Offshore-Windparks" wehren[8]. Sie befürchten, dass durch die Windkraftanlagen Meerestiere in Gefahr kommen.

Hoffentlich kann man die Leute bald beruhigen. Denn Windenergie ist nicht nur umweltfreundlich, sondern schafft auch viele Arbeitsplätze. In Deutschland verdienen bereits 100 000 Menschen ihr Geld in dieser Branche. Auch weltweit ist die Windenergie im Aufwind. Immer mehr Länder interessieren sich für die neue Technologie und kaufen Windkraftwerke „made in Germany". Manche deutsche Hersteller exportieren heute bereits mehr als die Hälfte ihrer Produkte ins Ausland.

»eine Branche im Aufwind«

Von allen deutschen Bundesländern nützt übrigens Sachsen-Anhalt die Windenergie am intensivsten. Das Land erzeugt heute schon 52% seines Stroms in Windkraftanlagen. Die ersten Offshore-Windparks liegen dagegen in Niedersachsen auf hoher See nordwestlich von der Insel Borkum. Sie produzieren Strom und sollen, wenn sie fertig sind, mehr als 400 000 Haushalte mit Energie versorgen.

8 sich wehren gegen: protestieren

Wörter zum Thema

Wind der, -e
Kraft die, ⸚e
Windkraft die (Sg.)
Anlage die, -n
Windkraftanlage die, -n
der Park, -s
(Offshore-)Windpark der, -s
Energie die, -n
Windenergie die (Sg.)
Sonnenenergie die (Sg.)
Quelle die, -n
Energiequelle die, -n
Kraftwerk das, -e
Windkraftwerk das, -e
Kohlekraftwerk das, -e
Kohle die, -n
Erdöl das (Sg.)
Strom der (Sg.)
Stromverbrauch der (Sg.)
Umwelt die (Sg.)
Klima das (Sg.)

sauber / schmutzig
umweltfreundlich / umweltschädlich

nutzen
gewinnen (gewann, hat gewonnen)
erzeugen
verbrauchen
exportieren / importieren
versorgen mit + Dat.

3 Suchen Sie die Zahlen im Text und ergänzen Sie.

a Früher, also vor etwa __________ Jahren, gab es __________________ Windmühlen in Europa. Davon standen ______________________________ in Norddeutschland.
b Heute gibt es in Deutschland nur noch sehr wenige Windmühlen, aber dafür ____________________ Windkraftanlagen.
c Der Anteil des Stroms, der von Windkraftanlagen produziert wird, beträgt hierzulande zurzeit ________ Prozent, weltweit sind es ____________ Prozent.
d Im Jahr ____________ soll in Deutschland ein Viertel des Stroms in Windkraftanlagen erzeugt werden.
e Norddeutsche Offshore-Windparks sollen Strom für gut ______________________________ Haushalte produzieren.

4 Wie produziert man in Ihrem Land Strom? Erzählen Sie.

Gibt es bei Ihnen Windkraftanlagen, Atomkraftwerke, Kohle- oder Wasserkraftwerke oder Solaranlagen?
Wo befinden sich diese Anlagen bzw. Kraftwerke?

27

Umweltpolitik in Deutschland

Seit gut 40 Jahren gibt es in Deutschland eine aktive Umweltbewegung. Anfangs setzte sich vor allem die Partei „Die Grünen"[1] für den Umweltschutz ein. Heute ist das Thema für alle politischen Parteien wichtig.

Der **Ausstieg aus der Atomkraft**[2] war eines der großen Ziele der Partei „Bündnis 90 / Die Grünen", die bis 2005 zusammen mit den Sozialdemokraten (SPD) regierte. In dieser Zeit entschlossen sich die Bundesregierung und die Energieunternehmen, alle 19 deutschen Kernkraftwerke, die zur Stromerzeugung[3] genutzt werden, in den nächsten 20 bis 30 Jahren abzuschalten. Das erste deutsche Atomkraftwerk wurde kurz darauf auch tatsächlich vom Netz genommen. Schnell steigende Erdölpreise und die Sorge um den Klimaschutz machten die Kernkraft aber wieder attraktiver, sodass die neu gewählte konservativ-liberale Bundesregierung (CDU/CSU und FDP) bis vor Kurzem für den „Ausstieg aus dem Ausstieg" war. Nach dem schweren Reaktorunglück im japanischen Fukushima wollen jedoch inzwischen alle Parteien auf Atomkraftwerke verzichten und die Nutzung erneuerbarer Energien[4] voranbringen.

Seit mehr als zwölf Jahren müssen die Deutschen für ihr Benzin, Heizöl[5], Gas oder ihren Strom zusätzlich **Ökosteuer** bezahlen. Diese Steuer verwendet der Staat dafür, die Beiträge für die Rentenversicherung (ein Teil der sogenannten Lohnnebenkosten) zu stabilisieren[6]. Die Ökosteuer macht also den Verbrauch von Energie teurer und senkt[7] die Lohnnebenkosten und damit die Kosten für Arbeit. So will man der Umwelt helfen und gleichzeitig neue Arbeit schaffen. Gegen diese Politik gibt es immer wieder Proteste. Doch inzwischen haben auch viele Kritiker verstanden, dass die Ökosteuer sinnvoll ist.

Früher musste man in Deutschland nur für Mehrwegflaschen[8] Pfand[9] bezahlen. Seit einigen Jahren gibt es die **Pfandpflicht** auch für

1 Nach der Wiedervereinigung ging die Partei mit der Partei „Bündnis 90" zusammen und heißt seitdem Bündnis 90 / Die Grünen.
2 Atomkraft die (Sg.): Technik, mit der man Energie produziert
3 Stromerzeugung die (Sg.): das Produzieren von Strom
4 erneuerbare Energien: Das sind Sonne, Wind und Wasser, die zur Energiegewinnung genutzt werden.
5 Heizöl das, -e (meist nur Sg.): Flüssigkeit, die man verbrennt, um es in der Wohnung warm zu haben
6 stabilisieren: hier: dafür sorgen, dass der monatliche Beitrag, den man zur Rentenversicherung zahlen muss, nicht steigt
7 senken: niedriger machen
8 Mehrwegverpackung / Einwegverpackung: Die Mehrwegverpackung kann mehrere Male benutzt werden, die Einwegverpackung nur einmal.
9 Pfand das (Sg.): Geld, das man bezahlt, wenn man etwas ausleiht und das man wiederbekommt, wenn man das Geliehene zurückgibt

1 Woran denken Sie bei dem Wort „Umweltschutz"? Sammeln Sie.

Umweltschutz

2 Lesen Sie den Text und ordnen Sie zu.

a Beim Dualen System werden Verpackungen gesammelt und zum Teil in neue Produkte umgewandelt. Diese Verpackungen haben den
b Das Prinzip, dass das, was die Menschen heute tun, auch noch für ihre Enkel und Urenkel gut ist, heißt
c Auf Energieträger wie Benzin, Öl, Gas und Strom muss man in Deutschland eine besondere Steuer bezahlen, die
d Für Getränkeverpackungen wie Bier- oder Coladosen gibt es in Deutschland seit einigen Jahren die
e Wenn Menschen gegen Kernkraftwerke sind, sind sie für den

☐ Ökosteuer.
☐ Atomausstieg.
☐ Pfandpflicht.
☐ Nachhaltigkeit.
☐ Grünen Punkt.

Einwegverpackungen bei Bier, Mineralwasser und Limonaden, also zum Beispiel auch für Coladosen. Der Anteil der nicht umweltfreundlichen Einwegverpackungen war zu hoch geworden. Die deutschen Lebensmittelhändler und die Getränkeindustrie wollten die Regelung nicht. Am Ende kam das „Dosenpfand“ doch. Das Ergebnis ist aber leider nicht besonders gut: Es gibt noch immer viel zu viele Einwegverpackungen.

® Dieses Zeichen findet man in Deutschland seit über zwanzig Jahren auf immer mehr Verpackungen. Der „Grüne Punkt“ bedeutet nicht, dass das verpackte Produkt besonders umweltfreundlich ist. Er zeigt nur, dass der Hersteller des Produkts am „Dualen System“ teilnimmt und – je nach Verpackungsart und Verpackungsmenge – eine Gebühr an das Unternehmen *Der Grüne Punkt – Duales System Deutschland GmbH* bezahlt. Die DSD GmbH sorgt dafür, dass die Verpackungen mit dem „Grünen Punkt“ eingesammelt, sortiert[10] und weiterverwertet[11] werden. Übrigens: Den „Grünen Punkt“ gibt es auch in anderen europäischen Ländern.

»nachhaltig handeln«

Wenn man aus einem Wald jedes Jahr mehr Holz nimmt, als wieder nachwächst, dann hat man irgendwann keinen Wald mehr. „Nachhaltigkeit“ würde in diesem Fall bedeuten, nicht mehr Holz zu nehmen, als von selbst entsteht. Im weiteren Sinn versteht man unter Nachhaltigkeit oder unter „nachhaltig handeln“, dass die heute lebenden Menschen bei allem, was sie tun, nicht nur an sich selbst, sondern auch an die zukünftigen Generationen denken sollen.

10 sortieren: etwas nach einem bestimmten System ordnen
11 weiterverwerten: etwas Altes bearbeiten und weiterbenutzen

Wörter zum Thema

Umwelt die (Sg.)
Umweltpolitik die (Sg.)
Umweltschutz der (Sg.)
Regierung die, -en
Bundesregierung die (Sg.)
Unternehmen das, -
Energie die, -n
Kraftwerk das, -e
Atomkraftwerk das, -e
Kernkraftwerk das, -e
Schutz der (Sg.)
Klimaschutz der (Sg.)
Benzin das (Sg.)
Öl das (Sg.)
Gas das (Sg.)
Strom der (Sg.)
Steuer die, -n
Ökosteuer die (Sg.)
Versicherung die, -en
Rentenversicherung die, -en
Industrie die, -n
Getränkeindustrie die (Sg.)
Wald der, ¨-er
Holz das, ¨-er

aktiv / passiv
politisch / unpolitisch
umweltfreundlich

sich einsetzen für + Akk.
verzichten auf + Akk.

3 **Lesen Sie den Text noch einmal und kreuzen Sie an: richtig oder falsch?**

	richtig	falsch
a Früher wollten vor allem *Die Grünen* den Atomausstieg, heute wollen alle Parteien die Atomkraftwerke abschalten.	○	○
b Die Ökosteuer ist gut für die Umwelt, aber schlecht für die Wirtschaft.	○	○
c Obwohl Leute aus der Lebensmittel-Branche dagegen waren, muss man seit einigen Jahren für Dosen Pfand zahlen.	○	○
d Nur umweltfreundliche Produkte haben den Grünen Punkt.	○	○
e Wer nachhaltig handelt, versucht, der Umwelt nicht zu schaden.	○	○

4 **Wie wichtig ist Ihnen das Thema „Umweltpolitik“? Welche der im Text genannten Punkte gibt es auch in Ihrem Land? Was würden Sie in Ihrem Land „umweltpolitisch“ gerne ändern? Erzählen Sie.**

Die Deutschen und *ihr Urlaub*

1

Kein anderes Volk auf der Welt fährt so oft und so gerne in den Urlaub, wie die Deutschen. Mehr als drei Viertel aller Bundesbürger verlassen mindestens einmal im Jahr ihre eigenen vier Wände. Dabei reisen 50 Prozent der deutschen Urlauber mit dem Auto in die Ferien. Durch die Lage Deutschlands im Herzen Europas kommen außerdem auch viele Transitreisende[1] aus den Nachbarländern dazu. So kommt es in jedem Sommer zum Verkehrschaos auf den deutschen Autobahnen. In glühender Hitze geht es oft nur im Schritttempo weiter, manchmal auch stundenlang gar nicht mehr. Stehender Verkehr auf 50 oder 100 Kilometern Länge ist keine Seltenheit.

2

Da ist es wichtig, dass wenigstens die deutschen Urlauber nicht alle am selben Tag losfahren. Um den Reiseverkehr zu kontrollieren, gibt es in den 16 deutschen Bundesländern unterschiedliche Ferientermine. So haben die bayerischen Schüler noch ganze fünf Wochen Unterricht vor sich, wenn die Schulkinder aus Berlin und Brandenburg bereits in die Sommerferien gehen. Dafür beginnt für die Berliner schon das neue Schuljahr, wenn die Bayern gerade erst ihre Urlaubskoffer packen.

1 Transitreisende der, -n: eine Person, die durch ein Land fährt, um in ein anderes Land zu reisen

3

Sommer, Sonne, Strand und Meer ... diese vier kurzen Wörter wecken Urlaubserinnerungen. Wenn wir sie hören, möchten wir am liebsten gleich in Richtung Süden fahren. Tatsächlich sind es ganz einfache Wünsche, die von den meisten Deutschen sofort genannt werden, wenn man nach ihrer Vorstellung von einem gelungenen Urlaub fragt: „Am Strand liegen" ... „In der Sonne braten[2]" ... „Essen" ... „Ein bisschen schwimmen" ... „Nichts tun". Allerdings gibt es inzwischen auch andere Trends. Vor allem die Themen Sport, Fitness und Gesundheit werden bei der Urlaubsplanung immer wichtiger. Viele Deutsche wollen heute auch in ihrer Freizeit aktiv sein, wollen etwas für ihren Körper tun, wollen Unterhaltung, Spiel und Spaß. Die Tourismusbranche hat verstanden, dass sich hier Geld verdienen lässt. Nie zuvor gab es so viele Wellness-Hotels, Beauty-Farmen, Trendsport-Arrangements und Club-Angebote.

4

Ach ja, die Bundesländer! Drei von zehn Deutschen verbringen ihren Urlaub im eigenen Land. Aber nicht alle 16 Bundesländer sind gleich beliebt. Vier von ihnen ziehen mehr als die Hälfte aller deutschen Feriengäste an: Schleswig-Holstein und Mecklenburg-Vorpommern

2 hier: in der Sonne liegen, um braun zu werden

1 **Sehen Sie die Fotos an: Woran denken Sie bei dem Wort „Urlaub"? Sammeln Sie.**

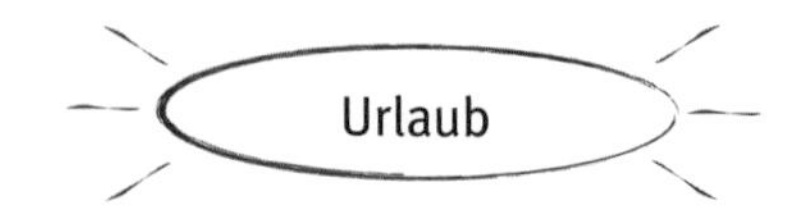

2 **Lesen Sie den Text und ordnen Sie zu: Welches Foto passt zu welchem Abschnitt?**

Foto	A	B	C	D	E
Abschnitt					

mit ihren Nord- oder Ostseestränden, Baden-
55 Württemberg mit seinem Schwarzwald und dem Bodensee. Der Star unter den Urlaubszielen ist und bleibt aber Bayern. Hohe Berge, blaue Seen, die Kulturstadt München und die Schlösser von König Ludwig II. machen das
60 südlichste Bundesland für etwa sieben Prozent der Deutschen zum idealen Urlaubsziel.

5

Das Wort „Urlaub" kommt übrigens von „erlauben". Bis vor etwa hundert Jahren musste man seinen Brotherrn – so hieß der
65 Arbeitgeber damals – um Erlaubnis bitten, wenn man mal freihaben wollte. Die meisten Menschen hatten nämlich noch kein Recht auf Urlaub. Arbeitsfreie Tage waren
70 eine seltene Ausnahme, zum Beispiel für besonders gute Mitarbeiter. Daran hat sich in den vergangenen hundert Jahren viel geändert. Heute haben Arbeitnehmer in Deutschland durch-
75 schnittlich 30 Urlaubstage pro Jahr. Das ist nicht schlecht, was?

»Nicht schlecht, was!?«

Wörter zum Thema

Urlaub der, -e
Urlauber der, - / Urlauberin die, -nen
Urlaubsziel das, -e
Urlaubsort der, -e
Ferien die (Pl.)
Sommerferien die (Pl.)
Schulferien die (Pl.)
Reise die, -n
Verkehr der (Sg.)
Hotel das, -s
Wellness-Hotel das, -s
Meer das, -e
Strand der, ¨-e
See der, -n
Wasser das, Gewässer die (Pl.)
Berg der, -e
Wald der, ¨-er
Stadt die, ¨-e
Kultur die, -en
Kulturstadt die, ¨-e
Schloss das, ¨-er
Spaß der (Sg.)

aktiv / passiv
sauber / schmutzig

reisen
verbringen (verbrachte, hat verbracht) in, bei + Dat.

3 **Lesen Sie den Text noch einmal und ergänzen Sie: Wo steht das im Text?**

a Weil man kein Verkehrschaos auf den Straßen möchte, beginnen die Ferien in den 16 Bundesländern an unterschiedlichen Tagen. Zeile ____ bis ____
b Die meisten Deutschen haben im Jahr sechs Wochen Urlaub. Zeile ____ bis ____
c Früher hat ein Arbeitnehmer oft nur dann freibekommen, wenn der Arbeitgeber mit ihm zufrieden war. Zeile ____ bis ____
d 75 Prozent der Deutschen macht auf jeden Fall eine Urlaubsreise im Jahr. Zeile ____ bis ____
e Ein Drittel der Deutschen verbringt den Urlaub im eigenen Land. Zeile ____ bis ____
f Wellness-und Aktivreisen werden immer beliebter. Zeile ____ bis ____
g Die Hälfte der deutschen Urlauber verreist mit dem Auto. Zeile ____ bis ____

4 **Ist Ihr Land ein „Urlaubsland"? Wenn ja: Welche Regionen und Orte sind bekannt dafür? Erzählen Sie.**

5 **Was ist für Sie im Urlaub am wichtigsten? Wohin würden Sie gerne reisen? Sprechen Sie im Kurs.**

29

Wien und das *Wiener Lebensgefühl*

Der Wiener Walzer. Der Wiener Kongress. Der Wiener Jugendstil[1]. Das Wiener Kaffeehaus. Die Wiener Philharmoniker. Das Wiener Schnitzel. Sehen Sie? Wien kennt man, auch wenn man noch nie dort war!

Spanische Hofreitschule

Wien. Hauptstadt Österreichs. Stadt der Habsburger Kaiser. Stadt des Burgtheaters, der spanischen Hofreitschule und ihrer berühmten Lipizzaner-Pferde. Haydn, Mozart, Beethoven und Schubert. Das Hotel Sacher, das Schloss Schönbrunn, das Hundertwasser-Haus ... all dies und noch mehr finden Sie in jedem Reiseführer[2]. Lernt man Wien kennen, wenn man diese Daten und Fakten weiß?

Nein, Wien ist mehr als eine große und berühmte Stadt mit einer langen Geschichte. Wien ist ein Gefühl, das sich nur schwer beschreiben lässt. Machen wir einen Versuch, gehen wir in den Prater! Das ist ein Park, in dem das ganze Jahr über ein großes Volksfest stattfindet. Schon von Weitem bemerken wir das weltbekannte Riesenrad. Wir kaufen eine Karte, steigen ein und fahren 60 Meter in den Himmel hinauf.

Was für ein Blick! Wir sehen das Wahrzeichen[3] der Stadt, den Stephansdom, den die 1,7 Millionen Wiener liebevoll „Steffel" nennen. Weiter im Westen wird die Landschaft hügelig. Dort beginnt der Wiener Wald, ein Mittelgebirge, in dem man herrlich wandern kann. Im Osten fließt die „schöne blaue Donau", wie es im Titel eines bekannten Walzers von Johann Strauß heißt. Uns stört kein bisschen, dass der zweitlängste Fluss Europas gar nicht blau ist, sondern – je nach Jahreszeit – grün, gelb, braun oder grau.

Blick auf den Stephansdom

Oh, wie schade! Die Fahrt ist schon zu Ende. Wissen wir jetzt mehr über Wien? Ja. Aber nicht, weil wir die Stadt von oben gesehen haben. Das Geheimnis liegt im Riesenrad selbst: Der schnelle Wechsel zwischen „hoch hinauf" und „tief hinunter" sagt viel über das Wiener Lebensgefühl. Da ist auf der einen Seite die große Lust am Leben. Der Wein, das gemütliche Zusammensein, die Schrammelmusik[4], die sentimentalen Lieder. Und dann? Dann geht es auf der anderen Seite wieder hinunter! Jetzt kommt der Zweifel am Sinn des Lebens, jetzt kommt der schwarze Humor, jetzt kommt das Makabre[5]: Vielleicht deshalb gibt es in Wien den gigantischen „Zentralfriedhof". Dort liegen auf 2,4 km² Fläche mehr als drei Millionen ehemalige Bürger der Stadt. Und ein „Bestattungsmuseum"[6], in dem man sich die Geschichte des Todes erzählen lassen kann. Wundert sich jetzt noch jemand darüber, dass Sigmund Freud die Psychoanalyse gerade in dieser Stadt entwickelt hat?

1 Jugendstil der (Sg.): Kunstrichtung um 1900
2 Reiseführer der, -: Buch, das Touristen über eine Stadt oder ein Land informiert
3 Wahrzeichen das, -: (architektonisches) Symbol einer Stadt (z.B. die Freiheitsstatue New York)
4 Schrammelmusik die (Sg.): volkstümliche Wiener Musik (Quartett aus zwei Violinen, Gitarre und Ziehharmonika)
5 makaber: wenn etwas an den Tod erinnert
6 Bestattung die, -en: Beerdigung. Wenn ein Toter begraben oder verbrannt wird.

Riesenrad im Wiener Prater

Woher kommt dieses für Wien typische „Hin und Her", dieses „Auf und Ab" der Gefühle? Dafür gibt es viele Erklärungen. Ein ganz wichtiger Grund: Wien liegt gleich an mehreren kulturellen Grenzen. Hier treffen Ost- und Westeuropa aufeinander. Hier endet Mitteleuropa und der Balkan beginnt. Schauen Sie mal in das Wiener Telefonbuch! Dort finden Sie – neben Deutsch klingenden – jede Menge andere Familiennamen: slawische, ungarische, türkische und italienische. Viele Kulturen begegnen sich. Das bringt einerseits immer wieder Probleme. Andererseits aber auch bunte Vielfalt und Bewegung. Und es schafft die Sehnsucht nach dem einen, idealen Wien, das man aber wohl nur beim Wein, in sentimentalen Liedern und in Reiseführern findet.

»das Auf und Ab der Gefühle«

1 **Sehen Sie die Fotos an. Was wissen Sie über die Stadt Wien? Sammeln Sie. Lesen Sie dann den Text bis Zeile 40 und ergänzen Sie die Informationen.**

Daten und Fakten über Wien
Sehenswürdigkeiten:
berühmte Leute:
Einwohnerzahl:
Wahrzeichen:
Umgebung:

2 **Lesen Sie den Text zu Ende. Markieren Sie im Text die Antworten auf die Fragen a–c. Sprechen Sie dann im Kurs.**

a Was symbolisiert das Riesenrad, wenn es nach oben fährt und oben angekommen ist?
b Was symbolisiert es, wenn es nach unten fährt und unten angekommen ist?
c Welche Erklärung gibt der Autor für dieses „Auf und Ab" der Gefühle?

3 **Schreiben Sie – wie in Aufgabe 1 über Wien – einen kurzen Steckbrief über eine „Kulturstadt" in Ihrem Land.**

WÖRTER ZUM THEMA

Stadt die, ¨-e
Hauptstadt die, ¨-e
Einwohner der, - / Einwohnerin die, -nen
Bürger der, - / Bürgerin die, -nen
Theater das, -
Museum das, Museen die
Schloss das, ¨-er
Park der, -s
Dom der, -e
Hotel das, -s
Landschaft die, -en
Gebirge das, -
Mittelgebirge das, -
Fluss der, ¨-e
Grenze die, -n
Kultur die, -en
Fest das, -e
Volksfest das, -e
Musik die (Sg.)
Lied das, -er

berühmt
(welt)bekannt / unbekannt

liegen (lag, hat gelegen) an, in + Dat.
(sich) begegnen

30

Berlin

»Ich bin ein Berliner« Diesen Satz hat John F. Kennedy 1963 in seiner berühmten Berliner Rede gesagt. Damit und mit seinem Besuch hat der amerikanische Präsident den Berlinern gezeigt: Ich bin für die Freiheit und gegen „die Mauer[1]". Ihr seid etwas ganz Besonderes und ich bin einer von euch.

John F. Kennedy

Und wie sind die Berliner? „Witzig[2]", „laut", „direkt", „grob"[3] – diese Wörter hört man oft, wenn es um die deutsche Hauptstadt geht.

Die Berliner sind für ihren direkten Humor und ihre Schlagfertigkeit[4] bekannt. Eine mögliche Ursache: In Berlin haben sich – ähnlich wie in Wien – besonders viele verschiedene Menschengruppen gemischt. Sachsen, Schlesier, Balten, Polen, Tschechen, Franzosen, Niederländer, Türken und viele andere sind im Lauf der Zeit in die Stadt gekommen. Und jede Volksgruppe hat ihren eigenen Humor mitgebracht. Der echte Berliner Humor geht so:

Kundin: „Sind det ooch wirklich französische Kartoffeln?"
(„Sind das auch wirklich französische Kartoffeln?")
Verkäuferin: „Wolln Se mit se reden oda wolln Se se essen?"
(„Wollen Sie mit ihnen reden oder wollen Sie sie essen?")

1 „die Mauer": die Berliner Mauer zwischen Ostberlin / DDR und Westberlin (1961–1989)
2 witzig: lustig, humorvoll
3 grob: hier: unfreundlich
4 Schlagfertigkeit die (Sg.): Wenn jemand auf alles immer sofort eine gute Antwort weiß, dann nennt man ihn „schlagfertig".

Berlin um 1871

„Berliner sind laut, reden viel und wollen immer recht haben." Manche Nicht-Berliner denken so und ein bisschen stimmt das vielleicht auch: Der „typische Berliner" – wenn es ihn überhaupt gibt – ist nun mal kein wirklich stiller Mensch. Trotzdem enthält die Meinung nur die halbe Wahrheit. Die andere Hälfte versteht man besser, wenn man die deutsche Geschichte kennt. Deutschland ist nämlich lange Zeit ein Land aus vielen kleinen Ländern. Jedes dieser kleinen Länder hat seine eigene kleine Hauptstadt und redet mit seiner eigenen Stimme. Erst 1871 wird Berlin die Hauptstadt von ganz Deutschland und spricht nun auch für das ganze Land. Und seit dieser Zeit finden manche Leute Berlin und die Berliner zu laut.

Viele Berliner sind sehr direkt und sagen ziemlich schnell und deutlich ihre Meinung. Warum das so ist? Vielleicht, weil die Widersprüche[5] des Zusammenlebens in einer so großen Stadt viel deutlicher zu sehen sind als in kleineren Orten oder auf dem Land? Die deutsche Hauptstadt hat wenig Geld und eine Menge Schulden[6]. Es gibt knapp 13 Prozent Arbeitslose.[7] Viele verschiedene Kulturen und soziale Gruppen begegnen sich hier täglich. Das bringt Farbe in die Stadt, aber es bringt auch Probleme. Und gegen Probleme aller Art haben die

5 Widerspruch der, ¨e: hier: Unterschied, Konflikt
6 Schulden die (in dieser Bedeutung nur im Plural): Geld, das man von jemandem bekommen hat und das man zurückgeben muss
7 Stand: Dezember 2010

1 Sehen Sie die Fotos an und sammeln Sie: Was wissen Sie über Berlin?

2 Lesen Sie den Text und die Aussagen a–c. Warum ist das so? Suchen Sie die Gründe aus dem Text.

a Berliner sind für ihren direkten Humor und ihre Schlagfertigkeit bekannt. (Zeile 16/17)
b „Berliner sind laut, reden viel und wollen immer recht haben!" (Zeile 35/36)
c Viele Berliner sind sehr direkt und sagen ziemlich schnell und deutlich ihre Meinung. (Zeile 51/52)

Berliner ihr eigenes Rezept: Mund aufmachen! Meinung sagen! Auch wenn's manchmal sehr direkt ist.

65 Sportplätze, Gärten, Parks, Felder und Wälder – fast die Hälfte Berlins ist „Stadtgrün". Es gibt etwa 80 000 Kleingärten und über 400 000 Straßenbäume! Der „Tiergarten" ist mit 230 Hektar der größte Berliner Park, und in den 70 Stadtteilen Köpenick, Grunewald, Spandau und Tegel findet man sogar richtige Wälder. Berlin ist eine der grünsten Hauptstädte der

C

Reichstag und Tiergarten

Welt und deshalb auch biologisch sehr interessant. 20 000 bis 30 000 verschiedene Pflanzen- 75 und Tierarten leben hier. Dabei sind auch einige seltene und sehr seltene Arten. Berlin ist also nicht nur laut und voll, man kann auch stille Plätze finden.

Berlin liegt nicht am Meer. Trotzdem ist es eine 80 Stadt des Wassers, denn in und um Berlin gibt es 50 große und mehr als 100 kleine Seen. Die bekanntesten sind der Müggelsee, der Tegeler See und der Wannsee. Und dann sind da auch

D

Spree und Museumsinsel

noch fünf Berliner Flüsse. Die beiden großen: 85 Havel und Spree und die drei kleineren: Wuhle, Dahme und Panke. Wer möchte, kann sogar richtige Stadtrundfahrten mit dem Schiff machen!

E

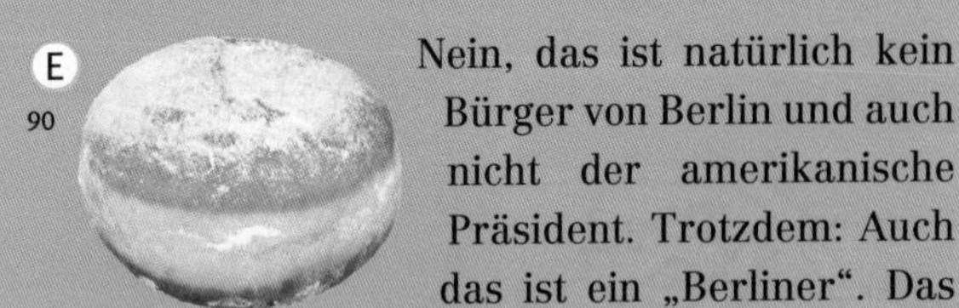

Berliner

90 Nein, das ist natürlich kein Bürger von Berlin und auch nicht der amerikanische Präsident. Trotzdem: Auch das ist ein „Berliner". Das Gebäck ist süß und lecker und 95 innen voll Marmelade. Hmmmhh, so einen Berliner müssen Sie bald mal probieren!

Wörter zum Thema

Mauer die, -n
Stadt die, ¨-e
Hauptstadt die, ¨-e
Stadtteil der, -e
Stadtrundfahrt die, -en
Gruppe die, -n
Volksgruppe die, -n
Einwohner der, - / Einwohnerin die, -nen
Platz der, ¨-e
Sportplatz der, ¨-e
Garten der, ¨-
Kleingarten der, ¨-
Park der, -s
Feld das, -er
Wald der, ¨-er
See der, -n
Fluss der, ¨-e
Bürger der, - / Bürgerin die, -nen

berühmt
witzig / ernst
direkt / indirekt
verschieden / gleich
typisch / untypisch

(sich) mischen
sich begegnen

3 **Finden Sie noch drei weitere Merkmale zu Berlin.**

1. ____________________
2. ____________________
3. ____________________

4 **Was sagt man in Ihrem Land über die Menschen in der Hauptstadt? Hat die Hauptstadt Ihres Landes besondere Merkmale? Welche? Erzählen Sie.**

31

Freie Fahrt für *freie Bürger*

Kennen Sie Robert Louis Stevensons Geschichte „Der seltsame[1] Fall von Dr. Jekyll und Mr. Hyde“? Der sympathische Arzt Dr. Jekyll erfindet ein geheimnisvolles[2] Medikament. Immer wenn er es einnimmt, verwandelt[3] er sich für eine Weile[4] in den schrecklichen Mister Hyde, der am liebsten Böses tut.

Auch so mancher nette, sympathische Deutsche wird zu einem anderen Menschen, sobald er hinter dem Lenkrad[5] sitzt. Zum Beispiel unser Freund hier. Hören wir doch mal zu, was er gerade denkt:

„Ach, was macht denn der Typ da vorne? Warum fährt er so langsam? Leider kann ich nicht überholen. Es ist zu viel Gegenverkehr. Ich muss hinter dieser „Schnecke[6]“ herfahren. Ich drücke auf die Lichthupe. Na los, mach schneller! Nun fährt er noch langsamer! Unglaublich! Na endlich ist die Gegenfahrbahn frei! Jetzt kann ich überholen. Wofür brauchst du ein Auto? Geh zu Fuß, du Sonntagsfahrer[7]!“

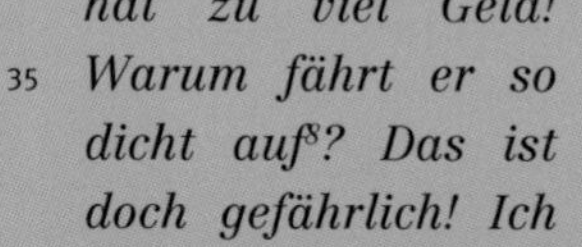

„Herrlich! Nun kann ich so schnell fahren, wie es mir gefällt. Aber was ist da hinter mir? Ein schickes Cabrio. Der Mensch hat zu viel Geld! Warum fährt er so dicht auf[8]? Das ist doch gefährlich! Ich darf so langsam fahren, wie ich will. Gut, dass gerade so viel Gegenverkehr ist. Da kann er nicht überholen. Er hupt. Hahaha! Wie er sich ärgert! Oh, jetzt überholt er doch! Unverschämtheit! Hau ab[9], du Spinner[10]!“

Unser Freund ärgert sich noch eine Weile. Eine Viertelstunde später kommt er an seinem Ziel an. Er steigt aus seinem Auto und verwandelt sich in einen höflichen, freundlichen Menschen zurück.

Vielleicht kommen Sie ja mal nach Deutschland und begegnen im Straßenverkehr einem

1 seltsam: nicht gewöhnlich, merkwürdig
2 geheimnisvoll: mysteriös
3 sich verwandeln: sich verändern, zu einer anderen Person werden
4 Weile die (Sg.): eine kurze Zeit
5 Lenkrad das, ¨er: damit bestimmt man die Richtung des Autos
6 Schnecke die, -n: kleines, sehr langsames Tier
7 Sonntagsfahrer der, -: eine Person, die nur wenig und deshalb schlecht Auto fährt
8 dicht auffahren (fuhr auf, ist aufgefahren): sehr nah an das Auto vor einem heranfahren
9 abhauen: weggehen, wegfahren
10 Spinner der, -: jemand, der verrückte Dinge sagt oder macht

1 Sehen Sie die beiden Zeichnungen an. Was passiert hier? Sprechen Sie.

sich ärgern • schimpfen • langsam/schnell fahren • dicht auffahren • überholen • dem anderen Autofahrer den Vogel zeigen

2 Lesen Sie den Text bis Zeile 53 und sprechen Sie: Was haben Sie über Dr. Jekyll und Mr. Hyde und die deutschen Autofahrer erfahren?

3 Lesen Sie den Text zu Ende und ergänzen Sie die Zahlen.

a In Deutschland gibt es ________________ Autos und ________________ Kilometer Autobahnen.
b Davon darf man auf ________________ Kilometern fahren, so schnell man möchte.
c Jährlich sterben ________________ Menschen bei Verkehrsunfällen, ________________ werden verletzt.
d Von den ________________ Deutschen arbeiten ________________ in der Automobilbranche.

„Mr. Hyde". Bitte, geben Sie ihm eine zweite Chance! Sobald er sein Auto verlässt, verwandelt er sich ganz sicher in „Dr. Jekyll" zurück. Oder sagen wir: ziemlich sicher.

Für viele Deutsche bedeutet „Auto" so viel wie „Freiheit". Unser Autobahnnetz[11] ist 12 000 Kilometer lang. Auf 8000 Kilometern gibt es keine Geschwindigkeitsbeschränkung. Das ist einmalig in der Welt: Man darf so schnell fahren, wie man will. Oder besser: so schnell, wie man kann. Denn meistens kann man nicht. Staus mit zehn bis hundert Kilometern Länge sind keine Seltenheit.

Deutschland ist eines der verkehrsreichsten Länder der Erde. Knapp 82 Millionen Einwohner besitzen 46 Millionen Autos. Die Tendenz ist weiter steigend. Zieht man alle Leute ab, die noch nicht oder nicht mehr Auto fahren können, sitzt bald jeder Bürger in seinem eigenen Wagen. Das hat Folgen: Bei knapp zweieinhalb Millionen Unfällen starben im letzten Jahr[12] etwa 3600 Menschen. Rund 370 000 wurden verletzt, viele davon schwer.

Im Sommer kommt es wegen der Autoabgase in den Städten manchmal zu Ozonalarm. Dann ist so viel Gift in der Luft, dass Kinder, Alte und Kranke per Radio gewarnt werden. Sie dürfen sich nicht zu lange und zu intensiv im Freien bewegen, sonst riskieren sie Lungenschäden.

Der Autoverkehr kostet Jahr für Jahr viele Milliarden Euro, er verbraucht wertvolle Ressourcen und er zerstört unsere Landschaft. Trotzdem ist das Auto das „liebste Kind" der Deutschen. Das liegt sicher auch daran, dass es rund 850 000 Arbeitsplätze sichert. Aber noch wichtiger ist seine Bedeutung als Symbol für individuelle Freiheit.

»das Auto – das liebste Kind der Deutschen«

---
11 Netz das, -e: ein System aus Fäden, mit dem man z.B. Fische fängt
12 Die Zahl gilt für das Jahr 2010.

Autobahnen bei Berlin

Wörter zum Thema

Auto das, -s
Autobahn die, -en
Verkehr der (Sg.)
Autoverkehr der (Sg.)
Straßenverkehr der (Sg.)
Gegenverkehr der (Sg.)
Fahrbahn die, -en
Fahrer der, - / Fahrerin die, -nen
Autofahrer der, - / Autofahrerin die, -nen
Geschwindigkeitsbeschränkung die, -en
Stau der, -s
Wagen der, -
Unfall der, ¨-e
Abgas das, -e

gefährlich / ungefährlich
höflich / unhöflich
freundlich / unfreundlich
verletzt / unverletzt

überholen
begegnen
sterben (starb, ist gestorben)
verbrauchen
zerstören

4 **Lesen Sie noch einmal und markieren Sie im Text: Welche Probleme bringen die vielen Autos in Deutschland mit sich?**

5 **Wie ist das mit Ihnen und dem Autofahren? Erzählen Sie.**

Wie oft fahren Sie mit dem Auto?
Wohin?
Worüber ärgern Sie sich? Was gefällt Ihnen am Autofahren?
Wenn Sie kein Auto haben: Möchten Sie eines haben? Warum (nicht)?

32 VW *Golf*

1

1974 ... was fällt Ihnen dazu ein? Nicht viel, oder? Na ja, das ist auch lange her. Zur Erinnerung: 1974 wird die deutsche Fußballnationalmannschaft zum zweiten Mal Weltmeister, US-Präsident Richard Nixon muss wegen des „Watergate-Skandals" gehen und der deutsche Bundeskanzler Willy Brandt wegen der „Guillaume-Affäre". Ach ja, und dann gibt es seit Oktober 1973 auch noch die große „Ölkrise". Sehen Sie, und schon sind wir beim Thema „Auto".

2

Für die Volkswagen AG ist 1974 wirtschaftlich ein sehr schlechtes Jahr. Der größte deutsche Autobauer macht mehr als 800 Millionen DM[1] Verlust. Die Deutschen kaufen zu wenige Autos, und das, obwohl sie so gut verdienen wie nie zuvor. Die steigenden Benzinpreise sind dabei das kleinere Problem. Man weiß einfach nicht, welches Auto man kaufen soll. Das bisher beliebteste Auto, der „Käfer", ist veraltet. Man möchte etwas Moderneres, etwas Praktischeres. In dieser Situation präsentiert VW sein neuestes Modell[2]: den „Golf".

3

Der „Golf der ersten Generation", das ist ein völlig anderes Fahrgefühl: Der Motor liegt vorne, er ist wassergekühlt und stärker als beim Käfer. Das verbessert den Fahrkomfort[3]. Hinten hat der Wagen einen großen Kofferraum und die praktische Heckklappe[4]. Die Autofahrer sind begeistert[5]. In nur zweieinhalb Jahren kann VW eine Million Exemplare des neuen Autos verkaufen. Ab 1976 gibt es zusätzlich den „Golf GTI" mit 110 PS und 180km/h Spitzengeschwindigkeit[6]. Der sportliche Wagen fasziniert[7] vor allem das junge Publikum. 1979

»ein Hit sein«

1 DM: Deutsche Mark, Währung in Deutschland vor Einführung des Euro

2 Modell das, -e: Der VW Käfer, der VW Golf und der VW Polo sind verschiedene Automodelle von VW.
3 Fahrkomfort der (Sg.): bequemes Fahren
4 Heck das, -s: hinterer Teil eines Autos oder Schiffs
5 begeistert sein: etwas wunderbar finden, sich über etwas sehr freuen
6 Spitzengeschwindigkeit die, -en: die schnellste Geschwindigkeit, mit der ein Fahrzeug fahren kann
7 faszinieren: etwas besonders toll finden, begeistert sein

1 Lesen Sie die ersten beiden Textabschnitte und beantworten Sie die Fragen.

a Warum war 1974 ein schwieriges Jahr?
b Warum haben die Deutschen so wenige Autos gekauft?

2 Sehen Sie die Fotos an: Welches Auto gab es zuerst? Und danach? Bringen Sie die Modelle in eine Reihenfolge.

1. Foto E: VW Käfer 2. Foto B: Golf der ersten Generation 3. Foto A: Golf Cabriolet 4. Foto C: Golf II 5. Foto D: Golf IV

kommt ein „Golf-Cabrio[8]" dazu und ist ebenfalls sofort ein Hit.

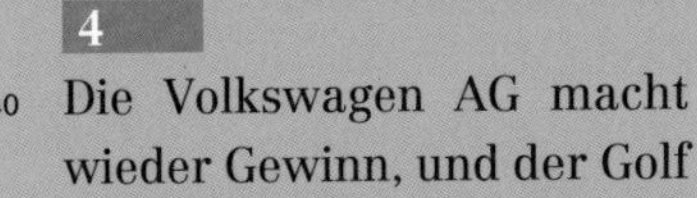

4

Die Volkswagen AG macht wieder Gewinn, und der Golf verkauft sich von Jahr zu Jahr immer besser. Er wird zum Maßstab[9] bei den Kompaktlimousinen[10], die man bald nur noch die „Golfklasse" nennt. Nach sieben Millionen verkauften Exemplaren[11] des ersten Typs präsentiert VW 1983 die zweite Generation. Der „Golf II" ist etwas größer und hat rundere Formen. Die Autofahrer lieben ihn genauso. Egal, ob jung oder alt, Mann oder Frau, Selbstständiger, Arbeiter, Angestellter oder Beamter: Der Golf ist das ideale Auto für alle. Wer mit seinem Auto nicht angeben[12] will, sondern einfach nur fahren, der kauft sich einen Golf.

5

1991 kommt der „Golf III". Er ist wieder ein Stückchen größer und hat Airbags für Fahrer und Beifahrer. Im Juni 2002 können die Wolfsburger Autobauer mit dem wenig veränderten „Golf IV" sogar die Verkaufszahlen des alten „Käfer" überholen. 2003 folgt der „Golf V", fünf Jahre später der „Golf VI". Diese Modelle verkaufen sich nicht mehr so toll wie ihre Vorgänger. Trotzdem: Bis März 2008 hat VW den Golf 26 Millionen Mal gebaut. Damit bleibt der Golf das meistverkaufte Modell in Europa und das erfolgreichste in Deutschland gebaute Auto aller Zeiten.

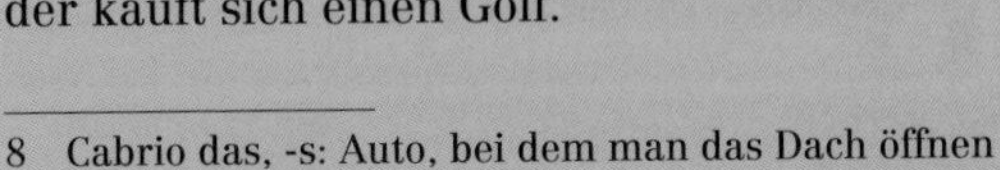

8 Cabrio das, -s: Auto, bei dem man das Dach öffnen und nach hinten klappen kann
9 Maßstab der, ¨-e: hier: besonders erfolgreiches Automodell, an dem andere Modelle gemessen werden
10 Kompaktlimousine die, -n: mittelgroßes Auto
11 Exemplar das, -e: hier: ein Auto
12 angeben: sich wichtigmachen, damit man bewundert wird

Wörter zum Thema

Auto das, -s
Automarke die, -n
Preis der, -e
Benzinpreis der, -e
Modell das, -e
Motor der, -en
Wagen der, -
Fahrer der, - / Fahrerin die, -nen
Autofahrer der, - / Autofahrerin die, -nen
Beifahrer der, - / Beifahrerin die, -nen
Kofferraum der, ¨-e
Geschwindigkeit die (Sg.)
Form die, -en

beliebt / unbeliebt
modern / unmodern
praktisch / unpraktisch
sportlich / unsportlich
rund / eckig
ideal
erfolgreich

verdienen
kaufen / verkaufen
Verlust / Gewinn machen
bauen

3 **Lesen Sie nun den ganzen Text und ergänzen Sie: Was ist das Neue an diesen Modellen?**

Golf (erste Generation): ______________________
Golf GTI: ______________________
Golf II: ______________________
Golf III: ______________________

4 **Warum ist der Golf so beliebt und erfolgreich? Suchen Sie die Gründe dafür im Text und markieren Sie. Vergleichen Sie Ihre Ergebnisse dann im Kurs.**

5 **Wie finden Sie den Golf? Wäre das ein Auto für Sie? Warum (nicht)? Erzählen Sie.**

33

Deutschlands größter Flughafen: *Frankfurt Airport*

»wie im Fluge«

Das Flugzeug ist ein bequemes, sicheres und schnelles Verkehrsmittel. Das schätzen[1] besonders Leute, die beruflich viel unterwegs sein müssen und Menschen mit Fernweh[2]: „Wie im Fluge"[3] ist man in anderen Städten und Ländern, auf einsamen Inseln und fremden Kontinenten. Weil außerdem die Flugtickets in den letzten Jahren billiger geworden sind, fliegen immer mehr Menschen.

Frankfurt Airport

Flughäfen sind deshalb zu Orten geworden, wo hart gearbeitet und viel Geld verdient wird. Das ist gerade in Frankfurt so, denn hier liegt der größte deutsche Flughafen. Er ist der wichtigste Arbeitgeber in der Region. Denn dort sind rund 71 000 Menschen in mehr als 500 verschiedenen Firmen beschäftigt. Der Frankfurter Flughafen wird deshalb auch „Frankfurt Airport City" genannt. Er ist eine eigene Stadt mit Apotheken, Banken, Friseuren, Post und Reinigung, Restaurants und Bars, Tankstellen und Reisebüros, Ärzten und vielem mehr.

Mit täglich über 1300 Flügen in mehr als 100 Länder ist Frankfurt ein wichtiges Drehkreuz[4]

Abflugtafel am Flughafen in Frankfurt

für den Flugverkehr weltweit und in Europa. Von hier ist man in nur maximal drei Flugstunden in einer anderen europäischen Metropole[5]. Und auch die guten Verkehrsverbindungen vom und zum Frankfurter Airport sind ein Grund für den Erfolg: Zwei Autobahnen und zwei Bahnhöfe sorgen dafür, dass Reisende mit Zug und Auto schnell und direkt zum Flughafen kommen. Parkplatzprobleme? Nein. Denn Autofahrer können zwischen Parkhäusern und

1 schätzen: gut finden
2 Fernweh: das Gegenteil von Heimweh: Wenn jemand in ein fremdes, fernes Land möchte.
3 wie im Fluge: sehr schnell
4 Drehkreuz das, -e: Flughafen, wo Flugzeuge aus der ganzen Welt starten und landen
5 Metropole die, -n: große, sehr wichtige Stadt

1 **Warum fliegen immer mehr Menschen? Sammeln Sie. Lesen Sie dann den Text bis Zeile 10 und vergleichen Sie Ihre Ergebnisse.**

2 **Lesen Sie den Text zu Ende und ergänzen Sie die Informationen über den Frankfurter Flughafen.**

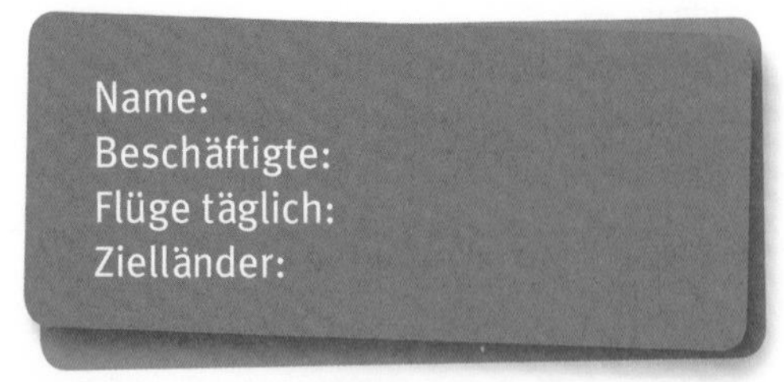
Name:
Beschäftigte:
Flüge täglich:
Zielländer:

Autobahnkreuz in Flughafen-Nähe

Tiefgaragen wählen und haben insgesamt 14 500 Parkplätze zur Auswahl. Das heißt dann: Park & Fly!

Auch das Umsteigen vom Zug ins Flugzeug oder vom Flugzeug in den Zug – in Frankfurt

ICE-Haltestelle „Frankfurt Flughafen"

ist das kein Problem. Denn unter dem Frankfurter Flughafen gibt es zwei Bahnhöfe: Einen Fernbahnhof für ICE-Züge und einen für Schnell- und Regionalzüge. Hier halten täglich 170 Züge und nehmen Reisende in andere deutsche oder europäische Städte mit. Die Flughafen-Manager nennen dieses Verkehrssystem „intermodal" und meinen damit: Die Reisenden haben mehrere An- und Abreise-Möglichkeiten. Sie können mit dem Auto, mit dem Zug oder natürlich auch mit Bussen direkt zum Frankfurter Flughafen kommen.

Nicht jeder mag den Frankfurter Flughafen. Denn der viele Verkehr verschmutzt[6] die Luft und macht vor allem viel Lärm. Lärm aber macht krank. 50% der Anwohner, so hat man festgestellt, haben Herzprobleme, Kopschmerzen und andere Krankheiten. Deshalb gibt es ein Nachtflugverbot: Von 23 Uhr bis 5 Uhr dürfen in Frankfurt keine Flugzeuge starten oder landen.

Trotzdem soll der Frankfurter Flughafen größer und größer werden. Der neue Airbus A 380, der „Superjumbo" mit zwei Stockwerken für über 850 Passagiere, braucht eine Extra-Halle. Außerdem ist eine neue Landebahn in Planung. Mehr Platz ist nötig und den nimmt man sich: So wird um den Flughafen Frankfurt herum immer mehr Wald zerstört. Umweltschützer sind dagegen, aber gebaut wird trotzdem …

6 verschmutzen: schmutzig machen

Wörter zum Thema

Flug der, ¨-e
Flughafen der, ¨
Flugzeug das, -e
Flugticket das, -s
Flugverkehr (Sg.)
Flugstunde die, -n
Verkehr der (Sg.)
Verkehrs-
Verkehrsmittel das, -
Verkehrsverbindung die, -en
Parkhaus das, ¨-er
Parkplatz der, ¨-e
Passagier der, -e

beschäftigt bei + Dat.

reisen
anreisen / abreisen
parken
umsteigen (stieg um, ist umgestiegen)
starten
landen

3 **Lesen Sie den Text noch einmal und notieren Sie: Warum ist der Frankfurter Flughafen so erfolgreich? Welche Nachteile hat dieser Erfolg? Sprechen Sie.**

Gründe für den Erfolg	Nachteile des Erfolgs

4 **Wie ist das mit Ihnen? Erzählen Sie.**

Sind Sie schon einmal geflogen? Wohin?
Fliegen Sie regelmäßig? Warum? Wohin?
Fliegen Sie gern?

34

Wo engagieren sich Jugendliche in ihrer *Freizeit?*

Die Jugendzeitschrift „Zukunft" hat Jugendliche nach ihrem gesellschaftlichen Engagement[1] in ihrer Freizeit befragt. Laut der Shell-Studien bleibt das politische Interesse der 12- bis 24-Jährigen gering, auch wenn es in den letzten Jahren leicht zugenommen hat. Parteipolitik und ideologisches Denken werden gemieden[2]. Die Zahl der Jugendlichen, die sich gesellschaftlich für konkrete Projekte einsetzen, ist dagegen weiterhin hoch. Der eigene Spaß und die beruflichen Ziele dürfen dabei aber nicht zu kurz kommen[3], wie einige Jugendliche gleich erzählen werden:

Pia

„Ich engagiere mich gern, aber es muss mir Spaß machen. Mit Parteien oder irgendwelchen Organisationen will ich nichts zu tun haben. Ich muss verstehen, worum es geht, und sehen, was dabei herauskommt[4]; dann mache ich mit. An meinem Gymnasium zum Beispiel gebe ich regelmäßig Nachhilfeunterricht[5]. Die Initiative heißt „Schüler helfen Schülern". Jeder bekommt dort kostenlos Nachhilfe. Das ist sinnvoll und macht Spaß. Und es nützt nicht nur anderen, sondern auch mir selbst. Denn ich will später Lehrerin werden und kann das Unterrichten so schon einmal ausprobieren."

1 Engagement das (Sg.): Wenn man sich für eine Sache oder ein Thema einsetzt, spricht man von Engagement.
2 meiden: bei etwas nicht mitmachen, sich nicht für etwas interessieren
3 zu kurz kommen: nicht wichtig sein
4 herauskommen: das Ergebnis von etwas sein
5 Nachhilfe die, Nachhilfeunterricht der (Sg.): Privatunterricht, oft durch einen älteren Schüler

Timo

„Ich bin politisch sehr interessiert, aber ich würde nie einer Partei beitreten[6]. Ich war einmal im Ortsverein. Jetzt weiß ich, warum so etwas „Sitzung" heißt, denn mehr als herumsitzen kann man da nicht. Stundenlanges Reden über nichts und wieder nichts! Dabei haben wir doch echte Probleme in dieser Welt. Die Wirtschaft schafft Arbeitsplätze ab, anstatt welche zu schaffen, und beutet nebenher Mensch und Natur aus[7]. Da will man natürlich schon etwas dagegen tun. Also, ich meine jetzt nicht die Weltrevolution. Aber es muss eben trotzdem was bringen[8], auch für einen persönlich. Ich schreibe zum Beispiel in der Schülerzeitung und vernetze mich per Internet mit anderen Leuten. An unserer Schule ha-ben wir damit schon einiges bewegt[9] und gleichzeitig qualifiziert mich das für mein Berufsleben."

6 beitreten (trat bei, ist beigetreten): Mitglied werden (z.B. in einer Partei oder einem Verein)
7 ausbeuten: etwas / andere zum eigenen Vorteil benutzen
8 etwas bringen (brachte, hat gebracht) (ugs.): ein positives Ergebnis haben
9 etwas bewegen: etwas zum Positiven hin verändern

1 Lesen Sie die beiden Aussagen. Was denken Sie? Welche Aussage stimmt, welche stimmt nicht? Lesen Sie dann den Text bis Zeile 13. War Ihre Vermutung richtig?

a Das politische Interesse der 12- bis 14-Jährigen hat sehr zugenommen.
b Die Zahl der Jugendlichen, die sich gesellschaftlich engagieren, ist sehr hoch.

Sandra

„Ich bin schon engagiert. Aber ich habe keine Ahnung von Politik. Das ist einfach nicht meine Welt. Wenn ich nur Wahlplakate sehe, dann renne ich schon weg. Und wenn die Politiker sich dann im Fernsehen streiten, dann schalte ich ganz schnell um. Aber ich bin in der Nachbarschaftshilfe aktiv. Also, alten Leuten helfen und so, das finde ich gut. Da lernt man wirklich nette Leute kennen. Viele von denen haben echte Probleme, und denen helfe ich gerne. Ich könnte mir das sogar als Beruf vorstellen, so als Altenpflegerin oder vielleicht irgendwas mit Jugendlichen."

»engagiert sein«

Tim

„Ich engagiere mich in unserem Jugendclub. Da organisieren wir Veranstaltungen, Filme und Partys und so. Das macht Spaß und ist was Sinnvolles. Bevor ich im Club mitgearbeitet habe, hing ich meistens nur mit meinen Kumpels auf der Straße rum. Bisschen Skaten, Mädchen anquatschen oder einfach nur abhängen."

Steven

„Ich bin im Fußballverein ziemlich aktiv. Wir organisieren Ausflüge, Feste oder trainieren die Jüngeren. Zudem betreue ich die Webseite unseres Vereins. Das macht mir viel Spaß. Und wenn ich nicht Fußball spiele, dann sitze ich in meiner Freizeit am Computer und spiele oder surfe. Viel Zeit für sonstiges Engagement habe ich da nicht."

Wörter zum Thema

Freizeit die (Sg.)
Jugendliche der / die, -n
Engagement das (Sg.)
Interesse das, -n
Politik die (Sg.)
Partei die, -en
Projekt das, -e
Ziel das, -e
Internet das (Sg.)
Computer der, -
Webseite die, -n
Organisation die, -en
Nachhilfe die (Sg.)
Initiative die, -n
Netzwerk das, -e
Veranstaltung die, -en

gesellschaftlich
politisch
aktiv / passiv

sich engagieren für + Akk.
beitreten (trat bei, ist beigetreten) + Dat.
helfen (half, hat geholfen)
ausprobieren
sich vernetzen
etwas tun (tat, hat getan) gegen / für + Akk.

2 **Lesen Sie den Text zu Ende und ergänzen Sie mit den Informationen aus dem Text.**

Wofür engagieren sich die vier Jugendlichen?	Warum?

3 **Engagieren Sie sich auch? Wenn nicht: Wofür würden Sie sich gerne engagieren? Warum? Erzählen Sie.**

Ich engagiere mich / würde mich gerne für die Umwelt / im Bildungsbereich / für ein soziales Projekt / für Jugendliche / für ... / engagieren, denn / weil ...

35

Eine Nation *greift zum Schläger*[1]

Wir nehmen Abschied[2] von einer großen Sportart. Nach langem Leiden[3] verstarb[4] bei den Australian Open das deutsche Tennis (7. Juli 1985, † 22. Januar 2004).*

Vor einigen Jahren erschien diese „Todesanzeige“ in der BILD-Zeitung – nach einer schlechten Leistung[5] der deutschen Tennisprofis. Das war wirklich nicht sehr nett, aber es ist 5 doch interessant für unser Thema. Die größte deutsche Boulevardzeitung[6] nennt darin nämlich den 7. Juli 1985 als Geburtsdatum des deutschen Tennissports.

Einerseits ist das Unsinn[7]. Natürlich spielt man 10 in Deutschland schon sehr viel länger Tennis und den Deutschen Tennis Bund[8] gibt es schon seit 1902, also seit mehr als hundert Jahren. Andererseits hat BILD mit ihrer Meinung doch nicht so ganz unrecht: An jenem 7. Juli 1985 15 gewinnt nämlich ein 17-jähriger, bis dahin unbekannter rotblonder Junge als erster Deutscher das berühmteste Tennisturnier der Welt.

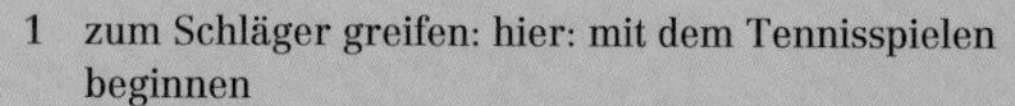

1 zum Schläger greifen: hier: mit dem Tennisspielen beginnen
2 Abschied nehmen (nahm, hat genommen): sich verabschieden, auf Wiedersehen sagen
3 Leiden das, -: Krankheit bzw. Zustand, in dem man Schmerzen hat
4 versterben (verstarb, ist verstorben): sterben
5 schlechte Leistung die, -en: hier: ein schlechtes Tennisspiel
6 Boulevardzeitung die, -en: Zeitung, die von sehr vielen Menschen gelesen wird
7 Unsinn der (Sg.): etwas, was keinen Sinn macht
8 Deutscher Tennis Bund: Dachorganisation der vielen deutschen Tennisvereine und -clubs.

Ⓐ

Als jüngster Wimbledon-Sieger aller Zeiten wird Boris Becker von einem Tag zum anderen 20 ein Superstar und macht Tennis – nach Fußball – zum zweitwichtigsten Volkssport in Deutschland. Zusammen mit Steffi Graf und Michael Stich war „unser Bobele“, wie Becker bald liebevoll genannt wird, der Motor für den deut- 25 schen Tennisboom[9] der 1980er- und 1990er-Jahre.

Die deutschen Tennisvereine wachsen in dieser Zeit so schnell wie noch nie: 1980 haben sie eine Million Mitglieder, zehn Jahre später sind 30 es zwei Millionen. Hunderttausende Kinder und Jugendliche möchten Profi-Tennisspieler

9 Tennisboom der, -s: Tennis wurde plötzlich sehr beliebt.

1 **Lesen Sie die Todesanzeige und sehen Sie sich das Foto und die Karikatur an. Was denken Sie: Welche Verbindung gibt es zwischen der Anzeige und den beiden Bildern? Lesen Sie dann den Text. War Ihre Vermutung richtig?**

werden, und im Fernsehen wird die Sportart zu einem der größten Zuschauermagneten[10].

»ein Profi werden«

Im Jahr 1984 bringen deutschsprachige Fernsehsender nur 13 Stunden Tennis, acht Jahre später sind es mehr als 2700!

10 Zuschauermagnet der, -e: hier: eine Fernsehsendung, bei der viele Menschen zusehen

Die Zeit von Becker, Graf und Stich ist schon lange vorbei. Die drei Tennis-Idole[11] sind nicht mehr aktiv, und der deutsche Tennissport hat bis heute keine so großen Stars mehr gehabt wie damals. Trotzdem haben die Vereine immer noch über 1,6 Millionen Mitglieder. Die Todesanzeige in BILD war also fehl am Platz[12]: Tennis ist nicht tot, es bleibt weiter Volkssport in Deutschland.

11 Idol das, -e: eine Person, die man toll findet, man möchte so sein wie diese Person
12 fehl am Platz sein: nicht passen, an dieser Stelle falsch sein

WÖRTER ZUM THEMA

Anzeige die, -n
Todesanzeige die, -n
Geburtsanzeige die, -n
Leistung die, -en
Zeitung die, -en
Boulevardzeitung die, -en
Tennis das (Sg.)
Tennisspieler der, - / Tennisspielerin die, -nen
Tennisturnier das, -e
Tennisverein der, -e
Sport der (Sg.)
Tennissport der (Sg.)
Volkssport der (Sg.)
Sportart die, -en
Mitglied das, -er
Sieger der, - / Siegerin die, -nen
Fernsehsender der, -
Star der, -s

berühmt / unbekannt
aktiv / passiv

Tennis spielen
(ein Tennisturnier) gewinnen (gewann, hat gewonnen)
nennen (nannte, hat genannt)

2 **Lesen Sie den Text noch einmal und ergänzen Sie die Informationen zur Geschichte des deutschen Tennissports aus dem Text.**

3 **Welche Sportart ist in Ihrem Land beliebt? Gibt es einen Sportler, der die Sportart populär gemacht hat? Erzählen Sie.**

Bei uns ist ... sehr beliebt.
Die beliebteste / bekannteste / populärste Sportart ist in meinem Land ...
Ein beliebter / bekannter / populärer Sportler bei uns heißt ...
Eine beliebte / bekannte / populäre Sportlerin aus meinem Land ist ...
Er / Sie hat ... populär gemacht.

36

Achtung, fertig, los!

Wir sind hier beim Thema „Motorsport", also muss es gleich beim ____________ (1) ein bisschen schneller gehen: Michael Schumacher wird 1969 in der Nähe von Köln geboren. Schon mit vier Jahren fährt er Gokart[1], mit fünfzehn ist er deutscher Juniorenmeister, mit einundzwanzig holt er den deutschen Meistertitel in der Formel 3. Im Jahr 1994 wird er zum ersten Mal Weltmeister in der Formel 1, der höchsten Klasse des Automotorsports. In den folgenden zehn Jahren kommen sechs weitere Weltmeistertitel dazu. Damit ist Michael Schumacher der erfolgreichste Rennfahrer aller Zeiten. So etwas nennt man eine „steile Karriere[2]".

Schon sind wir in der nächsten ______________ (2): „Schumi" ist mehr als „nur" Formel-1-Weltmeister. Er ist glücklich verheiratet, er hat zwei süße Kinder, er ist vielfacher Millionär, er hat ein Traumhaus in der Nähe des Genfer Sees, er ist ein internationaler Star und einer der bekanntesten lebenden Deutschen auf der ganzen Welt. Er führt ein arbeitsreiches und solides[3] Leben, er ist diszipliniert[4], bescheiden[5] und hilfsbereit[6]. Haben wir etwas vergessen? Ach ja, ...

1 Gokart der, -s: kleines Rennauto, mit dem auch Kinder fahren können
2 steile Karriere die, -n: schnell großen Erfolg im Beruf haben
3 solide: ohne Skandale, geradlinig, vernünftig
4 diszipliniert: eine Person, die sich an selbst gesetzte Regeln hält
5 bescheiden: wenn man sich nicht für etwas Besseres hält und das, was man kann, nicht besonders betont
6 hilfsbereit: jemand, der anderen hilft

... wir brauchen dringend einen „____________-__________"(3)! Das alles klingt doch wie ein Märchen, oder? Viel zu schön, um wirklich

wahr zu sein. Nun, so ganz ohne Schönheitsfehler[7] ist auch die Geschichte des Michael Schumacher nicht. Er hält sich oft nicht an die Regeln und dann gibt es da auch noch diese Unfälle ... Zum Beispiel 1994 beim WM-Finale in Adelaide (Australien), wo sein Benetton-Ford und der Williams-Renault von Damon Hill zusammenstoßen. Beide können nicht mehr weiterfahren. „Schumis" schärfster Konkurrent[8] hat keine Chance mehr, mit einem Sieg den WM-Titel noch zu holen.

»Zu schön, um wahr zu sein!«

Der Stopp ist zu Ende, das ______________ (4) geht weiter: 1996 steigt Michael Schumacher in das rote Auto aus Norditalien, das zu diesem Zeitpunkt schon seit über zwei Jahrzehnten keine WM[9] mehr gewonnen hatte. Mit dem neuen Starpiloten aus Deutschland holt Ferrari von 2000 bis 2004 fünfmal hintereinander den Titel. Die italienischen Autofans lieben „Schumi"

7 Schönheitsfehler der, -: Fehler im schönen Gesamtbild
8 Konkurrent der, -en: Gegner
9 Weltmeisterschaft (WM) die, -en: Sportler aus der ganzen Welt kämpfen in einer Sportart um den Weltmeistertitel

1 **Sehen Sie die Fotos an und lesen Sie die Überschrift. In welchem Zusammenhang benutzt man die Wörter unten und die Wendung „Achtung, fertig, los!"? Lesen Sie dann den Text und schreiben Sie die Wörter in die Lücken 1 bis 5.**

Rennen • Comeback • Runde • Boxenstopp • Start

D

dafür fast so sehr wie die deutschen. Für sie ist er der Allergrößte. Und für uns? Genau wie Boris Becker, Steffi Graf[10] oder Franz Beckenbauer[11] ist Michael Schumacher inzwischen wohl für viele Deutsche eine Identifikationsfigur[12] geworden. Er gibt unserem Land ein sympathisches, dynamisches[13], erfolgreiches Gesicht und das kommt an[14] in einer Zeit, in der nichts wichtiger ist als „Erfolg" und „Geschwindigkeit".

Als Michael Schumacher 2006 aufhört, Rennen zu fahren, ist das für seine Fans ein Schock. Aber sie müssen nicht allzu lange auf ihren „Schumi" warten. Schon 2010 feiert er sein ____________ (5) – und das mit über 40 Jahren. Statt für Ferrari fährt der Deutsche jetzt für Mercedes, bislang allerdings ohne große Erfolge. Trotzdem bleibt Schumachers Ziel, gemeinsam mit seinem Teamkollegen Nico Rosberg für Mercedes einen weiteren WM-Titel zu holen.

E

10 Steffi Graf: berühmte deutsche Tennisspielerin (*14.6.1969)
11 Franz Beckenbauer: berühmter deutscher Fußballspieler (*11.9.1945)
12 Identifikationsfigur die, -en: Person, mit der man sich identifiziert, weil sie so ist, wie man selbst gern wäre
13 dynamisch: voll innerer Kraft, lebendig
14 Eine Sache oder eine Person kommt an: eine Sache / eine Person ist erfolgreich, wirkt gut

2 Lesen Sie den Text und ergänzen Sie: Was erfahren Sie zu den Jahreszahlen über Michael Schumacher und seine Karriere?

a 1969 ____________
b 1994 ____________
____
c 1996 ____________
d Von 2000 bis 2004 ____________
e 2006 ____________
f 2010 ____________

3 Lesen Sie den Text noch einmal und suchen Sie die Informationen zu den Fragen im Text.

a Was erfahren Sie über Michael Schumachers Privatleben?
b Welche Eigenschaften bewundern viele Deutsche an Michael Schumacher?

4 Gibt es in Ihrem Land einen Spitzensportler / eine Spitzensportlerin wie Michael Schumacher? Beschreiben Sie seine / ihre Karriere.

Name? Wann und wo geboren?
Wie und wo lebt er / sie? Wann mit dem Sport begonnen?
Erfolge? Eigenschaften?

WÖRTER ZUM THEMA

Sport der (Sg.)
Motorsport der (Sg.)
Meister der, -
Weltmeister der, -
Weltmeisterschaft die, -en (WM)
Titel der, -
Meistertitel der, -
Weltmeistertitel der, -
Star der, -s
Start der, -s
Pilot der, -en
Starpilot der, -en
Konkurrent der, -en / Konkurrentin die, -nen
Unfall der, ¨-e
Erfolg der, -e

sympathisch / unsympathisch
dynamisch
erfolgreich / erfolglos

einen Titel holen
gewinnen (gewann, hat gewonnen)
Karriere machen
sich an Regeln halten (hielt, hat gehalten)

37

Feste feiern – rund ums Jahr

A

B

C

D

1

Das alte Jahr geht – ein neues Jahr kommt: Am 31. Dezember, dem letzten Tag im Jahr, möchte man gerne mit anderen Menschen zusammen sein. Die Geschäfte machen früh zu. Silvester feiert man mit Partys oder mit einem besonderen Silvestermenü. Man isst, trinkt, tanzt, und pünktlich um 24 Uhr stößt man mit einem Glas Sekt oder Champagner an und wünscht allen „ein gutes neues Jahr". Die Kirchenglocken läuten[1] und es wird laut auf den Straßen, denn man begrüßt das neue Jahr auch mit einem Feuerwerk.

»Ein gutes neues Jahr!«

Zum Jahreswechsel fassen viele Menschen „gute Vorsätze": Sie wollen im neuen Jahr einige Dinge besser machen: mehr Sport treiben, weniger essen, netter zu den Kollegen sein ... Diese guten Vorsätze vergessen die meisten aber auch schnell wieder!

Der erste Tag des Jahres ist ein Feiertag. Man schläft länger, macht einen Spaziergang oder geht in ein Neujahrskonzert. Überall sieht man Glückssymbole: das Hufeisen, das vierblättrige Kleeblatt, das Schwein oder den Schornsteinfeger.

1 läuten: klingeln

2

Ostern ist das wichtigste Fest der Christen. Man feiert die Auferstehung[2] von Jesus Christus. Es gibt kein festes Datum. Ostersonntag ist der erste Sonntag nach dem ersten Vollmond im Frühling. An diesem Sonntag suchen die Kinder bunte Ostereier oder Schokoladen-Osterhasen im Haus oder im Garten. Sie sollen denken: Der Osterhase hat sie gebracht. Aber sie wissen: Das waren die Eltern. Bunte Eier spielen eine große Rolle. Sie symbolisieren den Frühling und neues Leben und hängen sogar im Garten in den Bäumen. In der Nacht zum Sonntag gibt es in vielen Kirchen einen Oster-Gottesdienst[3] und an vielen Orten brennen

2 Auferstehung die (Sg.): Jesus ist nicht mehr tot, er ist von den Toten zurückgekommen.
3 Gottesdienst der, -e: religiöse Feier in der Kirche

1 **Überfliegen Sie den Text und ergänzen Sie: Welches Foto passt zu welchem Abschnitt?**

Foto	A	B	C	D
Abschnitt				

2 **Lesen Sie den Text und beantworten Sie die Fragen.**

	Zu welchem Fest gehören ... ?	Wofür sind ... ein Symbol?
a Brezel und Schere		
b die 24 Fenster		
c Hufeisen, Kleeblatt, Schwein und Schornsteinfeger		
d die bunten Eier		
e Kirchenglocken und Feuerwerk		

40 Osterfeuer. Zu Ostern wünscht man sich „frohe Ostern!".

3

Das Maifest am 1. Mai ist schon sehr alt. Es ist kein christliches Fest. Man feiert den Frühling. Der ist nämlich jetzt richtig da. In jeder Region 45 feiert man anders. Im Süden zum Beispiel gibt es den Maibaum. Am Abend vor dem 1. Mai schmückt[4] man ihn mit bunten Bändern. Größere Maibäume tragen oft auch Symbole von Handwerkern: die Brezel zum Beispiel für den 50 Bäcker oder die Schere für den Friseur. Am nächsten Tag stellt man den Baum auf und tanzt und feiert bis spät in die Nacht.
Seit mehr als 100 Jahren ist der 1. Mai auch der „Tag der Arbeit", ein sozialer Feiertag.

4

55 Am 24. Dezember feiert man Weihnachten. Der Tannenbaum ist mit bunten Kugeln und Lichtern geschmückt. Unter dem Baum liegen die Geschenke für die Kinder und Erwachsenen. In vielen Familien geht man am späten 60 Nachmittag in die Kirche. Dort singt man Weihnachtslieder und hört die Weihnachtsgeschichte aus der Bibel: Es ist die Geschichte von der Geburt von Jesus. Überall wünscht man sich „frohe Weihnachten". Am Abend gibt 65 es dann endlich die Geschenke. Kleine Kinder hören: Die Geschenke hat der Weihnachtsmann bzw. das Christkind gebracht.
Am 25. und 26. Dezember geht das Feiern weiter und es gibt immer etwas Besonderes zu 70 essen. Denn zu diesem Fest kommt die ganze Familie zusammen: Weihnachten ist das wichtigste Familienfest in Deutschland.

Die Weihnachtszeit beginnt vier Sonntage vor dem 25. Dezember mit dem 1. Advent. In vie- 75 len Straßen gibt es bunten Lichterschmuck. Auf den Plätzen und in den Geschäften stehen Weihnachtsbäume, und überall hört man schon Weihnachtslieder. Die Kinder zählen die Tage bis Weihnachten. Sie denken an die 80 Geschenke und schreiben Wunschzettel. Sie haben einen besonderen Kalender mit 24 kleinen Fenstern, er heißt „Adventskalender". Vom 1. bis 24. Dezember öffnen die Kinder jeden Tag ein neues Fenster und finden dahin- 85 ter ein Bild oder ein kleines Stück Schokolade.

4 schmücken: etwas schön machen, dekorieren

WÖRTER ZUM THEMA

Fest das, -e
Familienfest das, -e
Silvester das (Sg.)
Neujahr das (Sg.)
Sekt der (Sg.)
Feuerwerk das, -e
Feiertag der, -e
Christ der, -en
Ostern das (Sg.)
Oster-
Osterhase der, -n
Osterei das, -er
Kirche die, -n
Weihnachten das (Sg.)
Weihnachts-
Weihnachtsbaum der, ¨-e
Weihnachtslied das, -er
Weihnachtsmann der, ¨-er
Geschenk das, -e
Advent der (Sg.)
Advents-
Adventskalender der, -

christlich / unchristlich

feiern
tanzen
schmücken

3 **Gibt es die vier Feste aus dem Text auch in Ihrem Land? Wenn ja: Was ist dort anders, was ist gleich? Erzählen Sie.**

4 **Welches Fest feiern Sie in Ihrem Land besonders gern? Warum? Berichten Sie.**

Wie heißt das Fest?
Wann feiert man es?
Was und wie feiert man?
Welche Symbole gibt es bei diesem Fest?
Warum mögen Sie es so gerne?

38

Small Talk

Auf einem Fest trifft man viele Leute. Die meisten kennt man nicht und wird sie vielleicht auch nie wieder sehen. Aber man ist doch eine Zeit lang mit ihnen zusammen, will sich kennenlernen und wünscht sich eine freundliche Atmosphäre und nette Unterhaltung. Dafür braucht man die Kunst des „kleinen Gesprächs": den Small Talk.

»Small Talk machen«

5 Manche Menschen können sehr gut Small Talk machen. Sie wissen genau, wie man ein Gespräch beginnt, worüber man spricht und wie man ein Gespräch beendet. „Small 10 Talk machen" kann man aber auch lernen. Wenn Sie weiter lesen, erfahren Sie, wie.

1

Wenn Sie ein Gespräch beginnen möchten, dann stellen Sie mit der anderen Person Blickkontakt her, gehen Sie auf sie zu, begrüßen Sie 15 sie und stellen Sie sich vor. Fragen Sie nach dem Namen der anderen Person und fragen / sagen Sie zum Beispiel: Entschuldigen Sie, sind Sie nicht ...? / Übrigens, ich bin ... / Sind Sie das erste Mal hier? / Woher kennen Sie unsere Gast- 20 geber eigentlich?

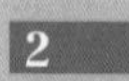

2

Wenn Sie zum ersten Mal mit jemandem ins Gespräch kommen, zeigen Sie Interesse, hören Sie aktiv zu und stellen Sie „offene Fragen". Die W-Fragen Was? / Wo? / Wie? / Warum? / Wohin? 25 / Woher? sind gute Fragen, weil sie zu Antworten einladen. Aber Achtung: Ein Gespräch ist

1 Was verstehen Sie unter „Small Talk"? Sammeln Sie. Lesen Sie dann den Text bis Zeile 11. Vergleichen Sie mit Ihren Antworten.

Small Talk ist für mich, wenn ...
Unter Small Talk verstehe ich ...

2 Lesen Sie den Text zu Ende und markieren Sie: Welche Tipps finden Sie zu diesen Punkten im Text? Vergleichen Sie dann Ihre Ergebnisse.

a ein Gespräch beginnen
b ein Gespräch beenden
c gute Gesprächsthemen
d schlechte Gesprächsthemen

kein Verhör[1] ! Stellen Sie deshalb nicht zu viele Informationsfragen auf einmal und fragen Sie mehr nach Meinungen.

3

30 Wählen Sie für Ihre Unterhaltung ein gutes Gesprächsthema. Denn Sie wollen die andere Person ja erst einmal kennenlernen. So können Sie zum Beispiel gut über folgende Themen sprechen:

35 – über das Wetter: Ist das Wetter nicht schön? / Finden Sie es auch so heiß? / In diesem Jahr haben wir viel zu wenig Regen, denken Sie nicht?
– über den Ort und die Party: Ich kenne den
40 Stadtteil hier gar nicht, Sie? / Wie gefällt Ihnen die Musik? / Ist die Wohnung nicht toll?
– über den Beruf oder die Ausbildung: Darf ich fragen: Was machen Sie beruflich? / Ach, Sie
45 haben zusammen studiert? An welcher Uni denn?
– über Urlaub, Freizeit oder Sport: Waren Sie dieses Jahr schon im Urlaub? / Wohin fahren Sie denn am liebsten? / Sie möchten nach ...
50 fahren? Oh, dann müssen Sie unbedingt ...
– über persönliche Interessen wie Film, Musik, Theater, Literatur: Haben Sie den Film ... gesehen? / Ich habe gerade ein tolles Buch über ... gelesen. Was lesen Sie am liebsten?

1 Verhör das, -e: Wenn die Polizei viele Fragen stellt, ist das ein Verhör.

4

55 Über Politik, Religion, Ihr Gehalt und sehr private Themen wie zum Beispiel über Krankheiten, Liebesprobleme etc. sollten Sie mit unbekannten Menschen nicht sprechen. Mit Menschen, die man nicht so gut kennt, sind
60 solche Themen tabu[2]. Denn Partygespräche sollten leicht und kurz sein. Schließlich möchten Sie und die meisten Gäste sich ja auch noch mit anderen Gästen unterhalten. Wenn Sie Ihren Gesprächspartner also wechseln wollen,
65 beenden Sie das Gespräch höflich. Bedanken Sie sich für die Unterhaltung. Sie können ruhig sagen, dass Sie jemand anderen gesehen haben und jetzt gern mit dieser Person sprechen möchten.

2 tabu sein: man spricht nicht darüber, etwas ist ein Tabuthema

Wörter zum Thema

Fest das, -e
Party die, -s
Small Talk der, -s
Gespräch das, -e
Partygespräch das, -e
Gesprächs-
Gesprächsthema das, Gesprächsthemen
Gesprächspartner der, - / Gesprächspartnerin die, -nen
Thema das, Themen
Tabuthema das, Tabuthemen
Unterhaltung die, -en
Atmosphäre die, -n
Gast der, ¨-e
Gastgeber der, - / Gastgeberin, die, -nen

freundlich / unfreundlich
nett
höflich / unhöflich
leicht / schwer
aktiv / passiv
tabu

treffen (traf, hat getroffen)
(ein Gespräch) führen
(sich) begrüßen
(sich) vorstellen
sich unterhalten (unterhielt sich, hat sich unterhalten) mit + Dat.

3 **Lesen Sie die Situationen a–d und spielen Sie mit Ihrem Partner / Ihrer Partnerin die Gespräche.**

Sie sind auf einem Fest und Sie ...

a kennen niemanden. Beginnen Sie ein Gespräch.

b treffen dort jemanden nach vielen Jahren wieder: Sie kennen die Person zwar, aber nicht sehr gut.

c finden dort eine Person sehr sympathisch und möchten sie gerne kennenlernen.

d haben sich mit jemandem unterhalten, wollen das Gespräch aber beenden.

39

Die fünfte *Jahreszeit*

Frühling, Sommer, Herbst, Winter und ... richtig: Die fünfte Jahreszeit heißt Karneval! Bei diesem Stichwort denken die meisten Menschen sofort an schöne venezianische Masken oder an Rio de Janeiro und seine bunten Samba-Gruppen. Sie wahrscheinlich auch, oder?

1

Wussten Sie schon, dass die „närrische Zeit[1]" auch in Deutschland, Österreich und der Schweiz gefeiert wird? Der Karneval, auch Fastnacht oder Fasching genannt, hat bei uns sogar eine besonders lange Tradition. Ein kurzer Blick zurück ins Mittelalter[2] zeigt es:

Narrenkostüm

2

Das lateinische *carne vale* bedeutet so viel wie „Abschied[3] vom Fleisch". Denn nach dem Karneval beginnt im katholischen Glauben[4] die 40-tägige Fastenzeit. Katholische Christen sollen in dieser Zeit kein Fleisch und auch einige andere Lebensmittel nicht essen. Ist es da ein Wunder, dass sie davor noch einmal gut und viel essen, trinken und feiern wollen?

3

Die „Fastnacht", die Nacht vor dem Fasten, dauert sechs Tage lang: von der „Weiberfastnacht", in Bayern auch „unsinniger Donnerstag" genannt, bis zum „Faschingsdienstag". In dieser Zeit gibt es viel gutes Essen, Wein, Bier und Schnaps. Musikanten spielen auf, es wird gescherzt[5] und getanzt.

»sich als ... verkleiden«

Fantasievolle Masken

Die Leute verkleiden sich[6] mit fantasievollen Masken und Kostümen. In jeder Region, ja sogar in jedem Ort, haben sich im Lauf der Jahrhunderte eigene Masken und Fastnachtsbräuche[7] entwickelt.

4

Für die Kirche zeigt sich im lauten Karneval die verrückte und verkehrte Welt des Teufels. Weil aber gerade im Gegensatz dazu die stille Fastenzeit und das Osterfest an Würde[8] und Bedeutung gewinnen, toleriert sie ihn.

5

Seit dem 19. Jahrhundert verliert der Glaube im deutschsprachigen Raum an Wichtigkeit. Mit dem Osterfasten geht auch die religiöse Bedeutung des Karnevals verloren. Trotzdem verkleiden und maskieren sich viele Menschen bis heute immer noch gerne. Sie wollen für ein paar Tage oder Wochen ihr Alltagsleben vergessen und in eine andere Rolle schlüpfen[9]. Sie wollen miteinander Spaß haben und feiern.

1 närrisch: unvernünftig, verrückt
2 Mittelalter das (Sg.): Zeit zwischen Antike und Neuzeit (ca. 5. bis 15. Jahrhundert) in Europa
3 Abschied der, -e: das „Auf-Wiedersehen-Sagen"
4 Glaube der (Sg.): die Konfession, die Religion
5 scherzen: Spaß machen, lustig sein
6 sich verkleiden: sich durch Kleidung, Perücke, Brille etc. verändern, sich kostümieren
7 Brauch der, ¨-e: Tradition, Gewohnheit
8 Würde die (Sg.): der Wert, vor dem man Respekt hat
9 in eine andere Rolle schlüpfen: eine andere Person sein

1 Was bedeuten diese Wörter wohl? Sehen Sie die Fotos an und sammeln Sie. Vergleichen Sie dann Ihre Ergebnisse.

Karneval • Kostüm • Fastenzeit • Osterfest • sich verkleiden • Maske

Leute beim Karnevalsumzug

Viele nützen die sehr lustige und lockere Stimmung auf den großen und kleinen Festen auch für kurze Liebesabenteuer.

6

Eigentlich beginnt die „fünfte Jahreszeit" schon am 11.11. um 11 Uhr und 11 Minuten. Die Zeit der Maskenbälle und Faschingsfeiern fängt aber erst richtig nach Neujahr an und erreicht ihren Höhepunkt zwischen dem „unsinnigen Donnerstag" und dem „Faschingsdienstag". In vielen Städten gibt es Karnevalsumzüge. Die größten finden in Köln, Mainz und Düsseldorf am „Rosenmontag" statt, dem vorletzten Tag des Karnevals. Am Faschingsdienstag wird noch einmal richtig wild gefeiert, bis kurz vor Mitternacht mit dem „Kehraus", dem letzten Tanz, der Karneval zu Ende geht.

7

Am nächsten Tag, dem „Aschermittwoch", streute man sich früher zum Zeichen der Reue morgens Asche[10] auf den Kopf und begann mit dem Fasten. Heute dagegen schluckt so mancher eine Kopfschmerztablette und geht dann zur Arbeit. Die wilden Tage sind zu Ende und das Alltagsleben geht wieder los. Bis zum nächsten 11.11. um 11 Uhr 11!

---

10 Asche die (Sg.): Rest, wenn man etwas verbrannt hat

WÖRTER ZUM THEMA

Zeit die, -en
Jahreszeit die, -en
Fastenzeit die (Sg.)
Karneval der (Sg.)
Fasching der (Sg.)
Fastnacht die (Sg.)
Weiberfastnacht die (Sg.)
Brauch der, ¨-e
Fastnachtsbrauch der, ¨-e
Fest das, -e
Osterfest das, -e
Feier die, -n
Faschingsfeier die, -n
Maske die, -n
Kostüm das, -e
Faschingskostüm das, -e
Ball der, ¨-e
Maskenball der, ¨-e
Kostümball der, ¨-e
Umzug der, ¨-e
Karnevalsumzug der, ¨-e

fasten
feiern

2 **Lesen Sie den Text. Waren Ihre Vermutungen in Aufgabe 1 richtig? Ergänzen Sie dann: Welche Frage passt zu welchem Abschnitt?**

		Abschnitt
a	Was ziehen die Menschen an Karneval an?	____ ____
b	Wann genau beginnt der Karneval?	____
c	Was passierte am Aschermittwoch früher, was passiert heute?	____
d	Was bedeutet das Wort „Karneval"?	____
e	Wie findet die Kirche den Karneval?	____
f	An welchem Tag und wo gibt es besonders große Karnevalsumzüge?	____
g	Wie nennt man den Karneval noch?	____
h	Was ist der „Kehraus"? Wann findet er statt?	____

3 **Lesen Sie den Text noch einmal. Markieren Sie im Text die Antworten zu den Fragen a–h in Aufgabe 2. Sprechen Sie dann im Kurs.**

4 **Feiert man in Ihrem Land Karneval? Wie ? Wenn nicht: Gibt es ein ähnliches Fest? Erzählen Sie.**

40

Bravo, eine deutsche Jugendzeitschrift

Neuer FARBIGER ROMAN: Gepeinigt bis aufs Blut!

BRAVO

Die Zeitschrift für Film und Fernsehen

Nummer 1 26. August 1956 (Farbige Romane 270) 50 Pfennig

Haben auch Marilyns Kurven geheiratet? (Bericht aus London auf Seite 38/39)

Kampf um NINA um Leben und Tod (S. 4)

Schwere Schlägerei im Atelier (S. 3)

Strahlender Sieger: Richard Widmark

A

BRAVO aus dem Jahr 1956

Mit einem Jahresdurchschnitt von über 500 000 verkauften Exemplaren pro Woche ist „Bravo" die größte deutschsprachige Jugendzeitschrift.[1]

1956 erschien sie zum ersten Mal in München beim Heinrich Bauer Verlag.[2] Man bekommt sie entweder per Post im Abonnement oder man holt sie sich im Supermarkt oder am Kiosk. Knapp 400 000 junge Leute zwischen 10 und 19 Jahren kaufen Bravo wöchentlich, rund 60 Prozent von ihnen sind weiblich.

Schlagen wir eines der Hefte auf: 70 Seiten, voll mit kurzen Texten und bunten Bildern, Kino-, Fernseh- und Modetipps, Poster[3] zum Aufhängen, Infos über Film- und Popstars. All das gibt es auch in „Popcorn" oder wie die anderen Jugendzeitschriften heißen. Warum ist Bravo die erfolgreichste[4]?

Vielleicht ist sie einfach näher dran an den Teens[5], an ihren Wünschen, Sehnsüchten[6], Unsicherheiten und Ängsten. „Bin ich zu dick?", „Bin ich zu klein?", „Wie bekomme ich endlich eine Freundin?" – in der Pubertät[7] kann die Liste solcher Fragen

»näher dran sein«

1 Dass Jugendliche trotz Internet immer noch bzw. sogar immer mehr Zeitschriften kaufen, zeigen die Zahlen der IVW-Jahresbilanz: So gewann Marktführer Bravo 2009 beispielsweise 62 040 Käufer hinzu – ein Plus von 13,7%. Und auch Bravo Girl baute ihre Verkaufszahlen zweistellig aus.

2 Seit 1968 erscheint Bravo bei der Bauer Media Group.

3 Poster das, -: großes Foto. Jugendliche hängen sich Poster gerne an die Wand.

4 erfolgreich: Erfolg haben

5 Teen der, -s / Teenager der, -: Jugendliche/r im Alter von 13 bis 19 Jahren

6 Sehnsucht die, ¨-e: Wenn man sich sehr stark wünscht, dass etwas oder jemand da ist, dann hat man Sehnsucht (nach etwas oder jemandem).

7 Pubertät die (Sg.): die Zeit, in der sich der Körper entwickelt und aus einem Kind ein Erwachsener wird

1 **Sehen Sie die Fotos an und lesen Sie den Text bis Zeile 17. Ergänzen Sie: Was erfahren Sie über die Zeitschrift?**

2 **Lesen Sie den Text zu Ende. Warum ist Bravo so erfolgreich? Markieren Sie mögliche Gründe im Text. Vergleichen Sie dann Ihre Ergebnisse im Kurs.**

BRAVO aus dem Jahr 2011

ziemlich lang werden. Viele Jugendliche wollen damit nicht zu ihren Eltern gehen. Das ist heute nicht anders als früher. Deshalb gibt es in Bravo schon seit 1962 eine Sexual- und Partnerschaftsberatung unter dem Motto: „Was immer dich bewegt – wir sind für dich da!“ Die meisten westdeutschen Erwachsenen unter 60 kennen „Doktor Sommer“ aus Bravo. Von ihm bekommt man zu allen Problemen einen guten Rat. Bei bis zu 400 Fragen pro Woche gibt es inzwischen längst ein ganzes „Dr.-Sommer-Team“, das die Teens auf mehreren Seiten beruhigt: „Nein, ihr müsst nicht schlank sein, ihr braucht keinen großen Busen, keine dicken Kusslippen, um glücklich zu sein.“

Der Rest des Hefts ist voll mit Fotos von schlanken Stars und modisch aussehenden Models, und in fast allen Bildern und Texten macht versteckte Werbung den Teens klar: Dies müsst ihr haben, so müsst ihr aussehen, das müsst ihr kaufen. Ein simples[8] Rezept? Vielleicht, aber der jahrzehntelange Erfolg gibt Bravo recht.

Während es anfangs nur eine Bravo-Zeitschrift gab, gibt es heute übrigens eine ganze „Bravo-Familie“: Bravo Girl, Bravo Sport oder Bravo Hip-Hop Special sind für spezielle Zielgruppen wie Mädchen, Sportinteressierte oder eben Musikfans. Und natürlich findet man die Bravo auch im Internet.

---

8 simpel: einfach

WÖRTER ZUM THEMA

Zeitschrift die, -en
Jugendzeitschrift die, -en
Modezeitschrift die, -en
Verlag der, -e
Abonnement das, -s
Kiosk der, -s
Zeitungskiosk der, -s
Heft das, -e
Jugendliche der / die, -n
Erwachsene der / die, -n
Foto das, -s
Werbung die (Sg.)
Leser der, - / Leserin die, -nen
Erfolg der, -e
Internet das (Sg.)
Internetportal das, -e

erfolgreich
schlank / dick
modisch / altmodisch

erscheinen (erschien, ist erschienen)
einen Rat bekommen (bekam, hat bekommen) / geben (gab, hat gegeben)

3 **Welche Zeitschriften gibt es in Ihrem Land für Jugendliche? Berichten Sie.**

4 **Welche Zeitschrift, Zeitung oder welches andere Medium lesen Sie regelmäßig? Warum? Erzählen Sie.**

41

Sonntagabend, 20 Uhr 15, *Erstes Programm*

Die „Tagesschau[1]" und der Wetterbericht sind vorbei. Noch ein kurzer Sponsortrailer[2] und dann ... Da-raa! ...

Schon nach den ersten beiden Tönen weiß jeder: Jetzt wird es spannend, denn jetzt kommt der neue TATORT[3]. Kaum eine andere Melodie wird in den deutschsprachigen Ländern von so vielen Menschen so schnell erkannt und zugeordnet. Kein Wunder: TATORT ist eine der beliebtesten Krimireihen im deutschsprachigen Fernsehen.

Und eine der ältesten: Die erste Folge wurde im November 1970 gesendet. Lange Zeit wurden pro Jahr nur zwölf neue TATORT-Krimis produziert, heute sind es bis zu drei pro Monat. Insgesamt gibt es schon über 800 TATORT-Fälle.

Mit etwa 90 Minuten haben die TATORT-Folgen Spielfilmlänge. Sie werden von bis zu neun Millionen Zuschauern gesehen. Weil der TATORT so beliebt ist, ist er auch eine der wichtigsten Sendungen der ARD[4], dem „Ersten Deutschen Fernsehen".

Der feste Sendeplatz am Sonntagabend um 20 Uhr 15 ist übrigens nur für die neuen TATORT-Produktionen reserviert.[5] Ältere TATORT-Krimis kann man an anderen Wochentagen sehen. Sie laufen immer wieder in einem der vielen regionalen[6] Sender, die den TATORT gemeinsam produzieren.

Der TATORT gehört zu den deutschen Fernsehsendungen, die am besten dokumentiert und untersucht sind. Im Internet bekommt man Informationen zu jedem bisher gedrehten TATORT-Krimi: vom Entstehungsjahr über die Schauspieler bis hin zur Inhaltsbeschreibung.

Und auch die Wissenschaft interessiert sich sehr für den TATORT. In zahlreichen Arbeiten beschäftigen sich Kultur- und Medienforscher mit der TV-Reihe. Es ist erstaunlich, was man daraus über die Veränderungen in unserer Gesellschaft und über den jeweiligen „Zeitgeist" lernen kann. So gehen wir zum Beispiel mit den TATORT-Kommissaren einen weiten

1 Tagesschau die (Sg.): Das ist der Name einer bekannten Nachrichtensendung im Ersten Programm (ARD). Die Tagesschau wird täglich gesendet und läuft von 20 Uhr bis 20 Uhr 15.
2 Der Sponsortrailer weist darauf hin, dass die folgende Sendung (hier der „TATORT") von der genannten Firma finanziell unterstützt wird.
3 Tatort der, -e: Der Ort, an dem ein Verbrechen (eine kriminelle Tat) begangen wurde. Hier: Der Name einer beliebten deutschen Fernsehsendung.
4 die ARD: ARD ist die Abkürzung für „Arbeitsgemeinschaft der öffentlich-rechtlichen Rundfunkanstalten der Bundesrepublik Deutschland".
5 Zu dieser Sendezeit zeigt die ARD nicht nur „Tatort", sondern auch andere Krimireihen, wie zum Beispiel „Polizeiruf 110".
6 regional: Das Gegenteil zu „regional" ist „zentral" oder auch „überregional".

1 **Sehen Sie die Fotos an und lesen Sie die Überschrift. Was denken Sie: Welche Verbindung gibt es zwischen den Fotos und der Überschrift? Sammeln Sie. Lesen Sie dann den Text bis Zeile 11. War Ihre Vermutung richtig?**

2 **Lesen Sie den Text zu Ende und ergänzen Sie: Was bedeuten die Zahlen?**

a 1970: ______________________
b 12: ______________________
c 800: ______________________
d 90: ______________________
e 9 Mio.: ______________________

3 **Lesen Sie den Text noch einmal und markieren Sie im Text: Was erfahren Sie über die TATORT-Kommissare und die Schauplätze? Vergleichen Sie Ihre Ergebnisse im Kurs.**

45 Weg vom väterlichen Beamtentyp der 70er-Jahre (Kommissar Trimmel) über den undisziplinierten Einzelkämpfer der 80er (Horst Schimanski) bis hin zur nachdenklichen Kommissarin der Gegenwart (Charlotte Lindholm).

Kommissar Trimmel

Schimanski

Charlotte Lindholm

50 Da der TATORT von verschiedenen regionalen Sendern produziert wird, wechseln die Schauplätze von Folge zu Folge. Mal spielt die Geschichte in München, mal in Köln, mal in Hamburg oder an einem anderen Ort. In jeder 55 Region gibt es eigene TATORT-Kommissare. Sie kommen aus unterschiedlichen sozialen Schichten[7], einige arbeiten allein, andere lieber im Team, manche sprechen Hochdeutsch, manche den Dialekt ihrer Heimat. Diese bunte

»Die Geschichte spielt in ...«

60 Vielfalt[8] macht den TATORT so besonders attraktiv. Jeder Zuschauer findet die Figur, mit der er sich besonders gut identifizieren kann. Und den 65 „Tatort", an dem er sich besonders gut auskennt oder den er auch einfach nur sehr interessant findet.

7 Die soziale Schicht kennzeichnet den Status einer Gruppe innerhalb einer Gesellschaft, zum Beispiel die „Mittelschicht".

8 Vielfalt die (Sg.): Wenn es etwas (zum Beispiel Dialekte, Meinungen, Formen etc.) in vielen verschiedenen Varianten gibt, spricht man von Vielfalt.

4 Sehen Sie gerne Krimis? Warum? Wenn nicht: Welche Sendungen sehen Sie gerne? Erzählen Sie.

Ich mag Krimis (nicht), weil ...
Ich sehe Krimis gerne / am liebsten / nie / manchmal / oft / regelmäßig, denn ...
Krimis finde ich sehr / zu / nicht so / überhaupt nicht spannend / interessant / aufregend. Deshalb sehe ich lieber ...

5 Gibt es in Ihrem Land auch eine so erfolgreiche Fernsehsendung wie den „TATORT"? Berichten Sie.

Wie heißt die Sendung?
Wann kommt sie?
Worum geht es?
Wo spielt die Geschichte?
Mögen Sie die Sendung? Warum (nicht)?

WÖRTER ZUM THEMA

Programm das, -e
Krimi der, -s
Reihe die, -n
Krimireihe die, -n
Fernsehen das (Sg.)
Folge die, -n
Fall der, ¨-e
Film der, -e
Spielfilm der, -e
Zuschauer der, -
Sendung die, -en
Fernsehsendung die, -en
Sender der, -
Schauspieler der, - / Schauspielerin die, -nen
Kommissar der, -e

beliebt / unbeliebt
spannend / langweilig
regional / zentral

senden
produzieren
(einen Film / Krimi) drehen

42

Made in Germany

Dieser Satz ist in der ganzen Welt bekannt: Er steht für Produkte aus Deutschland. Und er sagt auch: Das Produkt hat eine besonders gute Qualität. Was manche Leute nicht wissen, ist, dass auch die Ideen für viele Produkte aus Deutschland stammen. Hier sind schon sehr viele bahnbrechende Erfindungen[1] gemacht worden. Wenn Sie weiter lesen, erfahren Sie, welche.

So wichtig wie die Erfindung des Internets im 20. Jahrhundert war vor 500 Jahren die Entwicklung des Buchdrucks. In Mainz erarbeitete **Johannes Gutenberg** 1440 eine Methode, mit der er mithilfe von beweglichen, in Metall gegossenen Buchstaben Bücher drucken konnte. Diese Technik erlaubte es zum ersten Mal, Bücher in Massenproduktion[2] herzustellen. Das machte den weltweiten Wissenstransfer[3] möglich. Heute werden in Deutschland jährlich circa 1 Milliarde Bücher produziert. Damit ist das Land eine der führenden Buchnationen.

»im digitalen Zeitalter leben«

Auch die vielleicht wichtigste Erfindung des 20. Jahrhunderts, der Computer, stammt[4] aus Deutschland. 1941 baute der Berliner Bauingenieur **Konrad Zuse** die erste voll funktionsfähige, programmierbare Rechenmaschine der Welt. Dieser elektromechanische Rechner, Z 3 genannt, konnte die vier Grundrechenarten[5] bereits in drei Sekunden lösen. Mit Zuses Computer begann das digitale Zeitalter[6]. Heute ist der Computer als Kommunikations- und Informationsmedium aus fast keinem Lebensbereich

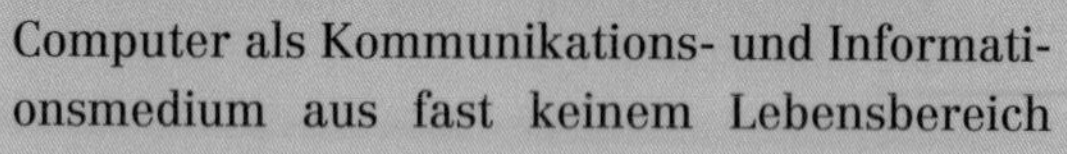

1 bahnbrechende Erfindung die, -en: Erfindung, mit der eine ganz neue Entwicklung beginnt

2 Massenproduktion die, -en: Produktion in großen Mengen
3 Wissenstransfer der (Sg.): Übertragung von Wissen
4 stammen aus: herkommen, sein (aus)
5 Grundrechenart die, -en: Die vier Grundrechenarten sind +, -, :, x.
6 Zeitalter das, -: größerer Zeitraum in der Geschichte

1 **Lesen Sie die Überschrift und die Wörter. Was denken Sie: Was wurde in Deutschland „gemacht“ / erfunden?**

Papier • MP3-Player • Buchdruck • Chip • Filmkamera • Telefon • Computer • Schreibmaschine

2 **Lesen Sie dann den Text und ergänzen Sie die Tabelle mit den Informationen aus dem Text.**

	Johannes Gutenberg	Konrad Zuse	Jürgen Dethloff	Fraunhofer-Institut
Was hat ... erfunden? Wann hat ... es erfunden?				

45 mehr wegzudenken. Pro Jahr werden weltweit über 370 Millionen PCs verkauft, davon allein rund 14 Millionen in Deutschland.

Ob Telefonkarte, Kreditkarte, EC-Karte oder Krankenkassenkarte – ohne die kleinen praktischen Plastikkarten geht im Alltag gar nichts mehr. Das Bezahlen ohne Bargeld und die Speicherung von Daten wird möglich, weil jede Karte einen eingefügten mikroelektronischen Chip[7] hat, der frei programmierbar ist. Den Einfall zu diesem Mini-Computer für die Hosentasche
65 hatte der Rundfunk-Mechaniker Jürgen Dethloff im Jahr 1977.

Mit dem MP3-Player erfüllte sich für viele Jugendliche ein Traum: alle Lieblingslieder gespeichert in einem winzigen Gerät überall
70 mit hinnehmen und hören zu können. Das dafür nötige MP3-Format wurde 1987 vom Fraunhofer-Institut in Erlangen entwickelt. Audiodateien[8] werden dabei um das Zwölffache verkleinert, indem man bei der Codierung
75 untersucht, welche Teile eines Signals der Mensch wahrnehmen[9] kann und welche nicht.

7 Chip der, -s, auch: Computerchip der, -s: dünnes, sehr kleines mikroelektronisches Plättchen
8 Audio-: Hör-
9 wahrnehmen (nahm wahr, hat wahrgenommen): hier: hören

Liebe Leser! An dieser Stelle müssen wir uns wohl bei Ihnen entschuldigen. Auch der Schweiz, Österreich und dem Rest der Welt
80 haben wir natürlich viele bahnbrechende Erfindungen zu verdanken. Bitte verzeihen Sie also die Tatsache, dass wir uns in diesem kleinen Text ausschließlich auf Deutschland konzentriert haben.

Wörter zum Thema

Produkt das, -e
Idee die, -n
Erfindung die, -en
Internet das (Sg.)
Entwicklung die, -en
Methode die, -n
Technik die, -en
Produktion die, -en
Massenproduktion die (Sg.)
Computer der, -
Rechner der, -
Kommunikation die (Sg.)
Gerät das, -e
Datei die, -en

herstellen
produzieren
erfinden (erfand, hat erfunden)
entwickeln
bauen
programmieren
speichern
löschen

3 **Lesen Sie den Text noch einmal und markieren Sie im Text: Was haben die Erfindungen möglich gemacht?**

4 **Welche anderen Erfindungen haben unser Leben verändert? Wählen Sie eine Erfindung aus und berichten Sie.**

Wie heißt der Erfinder / die Erfinderin?
Wann hat er / sie ... erfunden?
Was bedeutet diese Erfindung für die Menschen?

43

Einigkeit und *Recht* und *Freiheit* ...

Einigkeit[1] und Recht und Freiheit für das deutsche Vaterland,
Danach lasst uns alle streben[2] brüderlich mit Herz und Hand.
Einigkeit und Recht und Freiheit sind des Glückes Unterpfand[3],
Blüh' im Glanze dieses Glückes, blühe deutsches Vaterland!

Diesen Text findet man, wenn man heute in einem Liederbuch für deutsche Schulen unter dem Stichwort „Nationalhymne" nachsieht. Dies ist aber nur die **dritte Strophe**[4] aus dem „Lied der Deutschen", das 1841 entstand. Das heißt: Es gibt auch noch eine erste und zweite Strophe. Aber die klingen aus heutiger Sicht und für den heutigen Geschmack so schrecklich, dass sie nicht mehr gesungen werden.

Besonders fürchterlich ist die **erste Strophe**:

Deutschland, Deutschland über alles, über alles in der Welt,
Wenn es stets zu Schutz und Trutze[5] brüderlich zusammenhält.
Von der Maas bis an die Memel, von der Etsch bis an den Belt.[6]
Deutschland, Deutschland über alles, über alles in der Welt!

Deutschland über alles in der Welt? So einen Satz will nach zwei Weltkriegen mit vielen Millionen Toten und nach dem Holocaust kein vernünftiger Mensch mehr hören. Er passt einfach zu perfekt zur unmenschlichen Ideologie des Nationalsozialismus.

Aber auch die **zweite Strophe** mit ihren Klischees[7] von Frauen, Treue und Gemütlichkeit ist nicht viel besser:

Deutsche Frauen, deutsche Treue, deutscher Wein und deutscher Sang
Sollen in der Welt behalten ihren alten, schönen Klang,
Uns zu edler Tat begeistern unser ganzes Leben lang,
Deutsche Frauen, deutsche Treue, deutscher Wein und deutscher Sang!

Zu ihrer Entstehungszeit um die Mitte des 19. Jahrhunderts wurden die drei Strophen des Deutschlandliedes aber ganz anders verstanden. Als der Germanist und Dichter August Heinrich Hoffmann von Fallersleben (1798–1874) das „Lied der Deutschen" schrieb[8], war Deutschland politisch ziemlich unbedeutend, obwohl die Zahl der Deutsch sprechenden Menschen größer war als die der Franzosen oder Briten. Der Grund

1 Einigkeit die (Sg.): das Zusammengehören, wenn alle einer Meinung sind
2 streben nach etwas: etwas als Ziel haben, etwas erreichen wollen
3 Unterpfand (lit.) das, ¨-er: etwas, das als Garantie oder Beweis gegeben wird
4 Strophe die, -n: In einem Lied bilden mehrere Zeilen zusammen eine Strophe.
5 der Trutz (poet., nur noch in der Wendung „Schutz und Trutz"): der Widerstand
6 Maas: Fluss in Ostfrankreich, Belgien und den Niederlanden; Memel: Fluss in Weißrussland und Litauen; Etsch: Fluss in Südtirol; Großer und Kleiner Belt: zwei Meerengen (Seestraßen) in Dänemark
7 Klischee das, -s: feste, unrealistische Vorstellung, Vorurteil, Stereotyp
8 Zur musikalischen Unterlegung der Wörter entschied sich von Fallersleben für die Melodie der von Joseph Haydn (1732–1809) komponierten Kaiserhymne. Haydn hatte diese 1797 im Auftrag der österreichischen Regierung zur Vertonung des patriotischen Textes „Gott erhalte Franz den Kaiser" verfasst.

1 **Lesen Sie den Text bis Zeile 17. Um was für ein Lied handelt es sich hier?**

2 **Lesen Sie den ganzen Text und ergänzen Sie: Was passierte damals mit dem „Lied der Deutschen" bzw. mit der dritten Strophe dieses Liedes?**

a 1841: ______________________________
b 1922: ______________________________
c 1945: ______________________________
d 1952: ______________________________
e 1990: ______________________________

Deutsche Kleinstaaten vor 1871

dafür? Ganz einfach: Deutschland war nicht einig. Es hatte keine zentrale Regierung, sondern bestand aus 39 Kleinstaaten. Kein Wunder, dass es in der internationalen Politik so gut wie keine Rolle spielte[9].

»politisch (k)eine Rolle spielen«

„Deutschland über alles" – damit meinte Hoffmann also, die Deutschen sollen lieber an ihre Nation denken, statt sich dauernd über Kleinigkeiten zu streiten. Erst im Jahr 1871 kam es dann schließlich zur deutschen Einigung und der Gründung des Deutschen Reichs. Es wurde nur eine „kleine" Einigung, das ebenfalls Deutsch sprechende Österreich war nicht mit dabei. Trotzdem wollten die Deutschen nun die wichtigste europäische Nation werden. Mehr als vier Jahrzehnte lang dauerte der wirtschaftliche Wettkampf[10] der großen Nationen, bis 1914 daraus dann der Erste Weltkrieg wurde, den die Deutschen vier Jahre später verloren.

9 keine Rolle spielen: nicht wichtig sein
10 Wettkampf, der, ¨-e: die Konkurrenz

Erst nach dieser Niederlage[11] wurde im Jahr 1922 das „Lied der Deutschen" zur offiziellen Nationalhymne. Nachdem 1945 dann auch der Zweite Weltkrieg verloren und Deutschland wieder geteilt war, verboten die Alliierten Siegermächte[12] die Hymne. Sie dachten, dass es ein nationalsozialistisches Lied sei.

Anfang der 1950er-Jahre stimmten etwa drei Viertel aller Westdeutschen in einer Meinungsumfrage dafür, das Deutschlandlied wieder zur Nationalhymne zu machen. 1952 sang Bundeskanzler Konrad Adenauer auf einer Veranstaltung in Berlin zusammen mit anderen Gästen die dritte Strophe des Deutschlandliedes. Es gab Proteste, aber Adenauer erreichte sein Ziel: Die dritte Strophe des Deutschlandliedes gilt seither wieder als deutsche Nationalhymne.

In der DDR blieb das Lied allerdings verboten. Die Ostdeutschen hatten eine eigene Hymne mit dem Text von Johannes R. Becher: „Auferstanden aus Ruinen". Mit der Wiedervereinigung der beiden deutschen Staaten im Jahre 1990 und dem Ende der DDR wurde die dritte Strophe des Deutschlandliedes dann aber in ganz Deutschland wieder zur Nationalhymne.

11 Niederlage, die, -n: das Verlieren (z.B. eines Streits, Kampfs), Gegenteil von Sieg, Erfolg
12 Alliierte Siegermächte: USA, Großbritannien, Frankreich, Sowjetunion

3 **Lesen Sie den Text noch einmal und markieren Sie im Text: Warum gehören die erste und zweite Strophe des Deutschlandliedes heute nicht mehr zur Nationalhymne? Sprechen Sie dann im Kurs.**

4 **Was wissen Sie über die Nationalhymne Ihres Landes? Informieren Sie sich und erzählen Sie.**

Wie heißt die Nationalhymne?
Wer hat sie geschrieben?
Wann wurde sie geschrieben?
Welche geschichtlichen Ereignisse werden in der Nationalhymne angesprochen? Was ist noch interessant?

Wörter zum Thema

Hymne die, -n
Nationalhymne die, -n
Lied das, -er
Dichter der, -
Strophe die, -n
Text der, -e
Nation die, -en
Staat der, -en
Kleinstaat der, -en
Politik die (Sg.)
Regierung die, -en
Krieg der, -e
Weltkrieg der, -e
Verbrechen das, -

einig / uneinig
offiziell / inoffiziell
politisch / unpolitisch

singen (sang, hat gesungen)
bestehen (bestand, hat bestanden) aus + Dat.
(sich) streiten (stritt, hat (sich) gestritten) um + Akk.

44

Die Mauer, Teil 1

Der Mauerbau

1

„Niemand hat die Absicht, eine Mauer zu errichten[1]!" Diesen Satz sagte DDR-Staatschef Walter Ulbricht im Juni 1961 zu einer westdeutschen Journalistin. Nicht einmal zwei Monate später schlossen ostdeutsche Soldaten und Polizisten alle Verkehrswege zwischen dem westlichen und dem östlichen Teil Berlins. Und ab dem 13. August 1961 baute die DDR sie dann doch, die „Berliner Mauer". Wie kam es überhaupt dazu?

2

Die Jahrzehnte nach dem Zweiten Weltkrieg waren eine sehr gute Zeit für „Mauerbauer". Die ideologischen Mauern gingen damals durch Köpfe, Länder und Kontinente, und der Streit war sehr intensiv. Man sprach sogar vom „Kalten Krieg". Damit war der jahrzehntelange ideologische und wirtschaftliche Konflikt zwischen den kommunistischen und den westlich-kapitalistischen Staaten gemeint. Fast in der ganzen Welt war vor allem eine Frage wichtig: „Gehörst du zum „kommunistischen" Osten oder zum „kapitalistischen" Westen?"

»Der Kalte Krieg«

3

Für die Deutschen brachte der Kalte Krieg ein besonderes Problem: Ihr Land und die frühere Hauptstadt Berlin waren ja seit dem Ende des Zweiten Weltkriegs geteilt. Die amerikanische, britische und französische Zone waren „der Westen" und die sowjetische Zone war „der Osten". 1949 wurden aus den drei Westzonen die „Bundesrepublik Deutschland" und „Westberlin". Aus der Ostzone wurden die „Deutsche Demokratische Republik" und „Ostberlin". Damit lag Deutschland im Zentrum des Kalten Kriegs, und Westberlin war plötzlich eine „kapitalistische" Insel mitten in der „kommunistischen" DDR.

1 errichten: bauen

1 **Sehen Sie die Fotos an. Was wissen Sie über „die Mauer"? Sammeln Sie. Lesen Sie dann den Text und ergänzen Sie.**

Die Mauer
Wann wurde sie gebaut?
Wo genau wurde sie gebaut?
Warum wurde die Mauer gerade dort gebaut?
Wie lange gab es sie?

4

Es dauerte dann auch nicht mehr lange, bis die
40 ideologische Mauer zu einer wirklichen Mauer
wurde. Warum gerade hier in Berlin? Dafür
gab es mehrere Gründe. Besonders wichtig
war dieser: Viele DDR-Bürger, die meisten
jung und mit guter Ausbildung, wollten sich in
45 der reichen Bundesrepublik ein besseres Leben aufbauen. Sie durften aber nicht ausreisen. Die Grenze war für sie geschlossen. Nur
an einem Ort konnten sie noch ziemlich leicht
vom Osten in den Westteil kommen: in der
50 Großstadt Berlin.

5

In der Zeit von 1949 bis 1961 verließen etwa
2,6 Millionen Menschen die DDR, viele von
ihnen über Berlin. Mit dem Mauerbau vom 13.
August 1961 wurde dieser letzte Weg nach
55 Westen dann aber geschlossen. Mehr als 28
Jahre lang waren die Ostdeutschen nun Gefangene in ihrem eigenen Land. Manche von
ihnen versuchten trotzdem, über die DDR-Grenze in den Westen zu kommen. Dabei starben allein an der Berliner Mauer mindestens
60 136 Menschen.

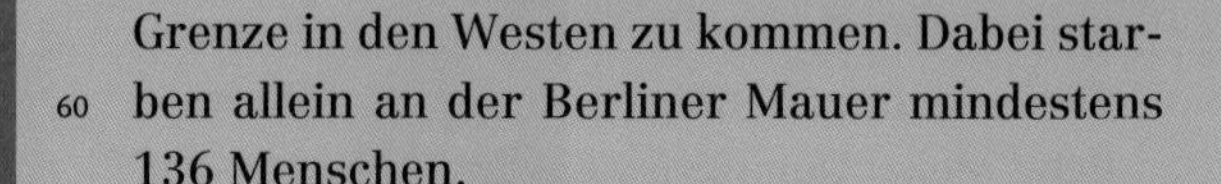

Der Todesstreifen in Berlin und die Mauer

Wörter zum Thema

Mauer die, -n
Mauerbau der (Sg.)
Krieg der, -e
Weltkrieg der, -e
Kontinent der, -e
Konflikt der, -e
Staat der, -en
Osten der (Sg.)
Westen der (Sg.)
Zone die, -n
Deutsche Demokratische Republik (DDR) die (Sg.)
Bundesrepublik Deutschland (BRD) die (Sg.)
Bürger der, - / Bürgerin die, -nen
Grenze die, -n

kommunistisch / kapitalistisch
geteilt / vereinigt
reich / arm

bauen
reisen
ausreisen
sterben (starb, ist gestorben)

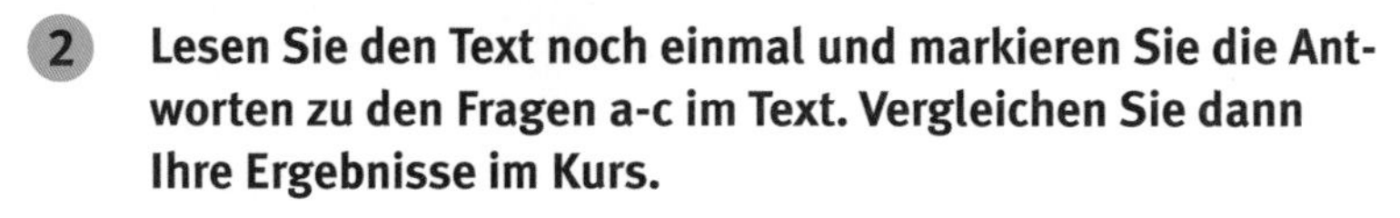

2 **Lesen Sie den Text noch einmal und markieren Sie die Antworten zu den Fragen a-c im Text. Vergleichen Sie dann Ihre Ergebnisse im Kurs.**

a Wie war die politische Situation nach dem Zweiten Weltkrieg?
b Welche Zonen gab es in Deutschland?
c Warum war Berlin „geteilt“?

3 **Haben Sie im Text etwas Neues über „die Mauer“ erfahren? Vergleichen Sie mit Aufgabe 1 und berichten Sie.**

4 **Gibt / Gab es in Ihrem Land ein Bauwerk mit einer besonderen Geschichte? Erzählen Sie.**

Was ist / war das für ein Bauwerk?
Wo steht / stand es?
Wie lange gibt / gab es das Bauwerk (schon)?
Warum hat das Bauwerk eine besondere Geschichte?

45

Die Mauer, Teil 2

»Wer zu spät kommt, den bestraft[1] das Leben«, sagte der sowjetische Präsident Michail Gorbatschow am 5. Oktober 1989 zu DDR-Chef Erich Honecker.

»Nun wächst zusammen, was zusammengehört«, sagte der deutsche Politiker Willy Brandt am 10. November 1989 über den Fall der Mauer.

»Die Zeit heilt[2] alle Wunden[3]«, sagt ein deutsches Sprichwort.

Erinnerung an die Berliner Mauer

Moment mal! War da was?
Mancher, der heute durch Berlin geht, fühlt sich wie nach einem schlimmen Traum.
Hier war eine Mauer? ... Sehr seltsam! ... Hier mussten Menschen sterben? ... Wie schrecklich! ... Ja aber, warum denn eigentlich?

Warum? Über den Bau der Mauer haben Sie im Text 44 erfahren. Hier wollen wir ganz kurz von ihrem Ende erzählen.

Kann man Millionen Menschen jahrzehntelang hinter Grenzen und Mauern einschließen? Ja, man kann, wenn es die Situation erlaubt. Der Kalte Krieg[4] war eine solche Situation.

Aber Anfang der 1980er-Jahre wurde das politische Klima hinter dem „Eisernen Vorhang"[5] langsam besser. Die Menschen in Osteuropa wollten Freiheit und sie zeigten das auch, in Polen zum Beispiel mit der Gründung der Gewerkschaft[6] „Solidarność".

1985 wurde Michail Gorbatschow Präsident der Sowjetunion. Seine neue Politik machte in den Jahren danach immer größere demokratische Veränderungen möglich. Mehr Demokratie auch in der DDR? Oh nein, davon wollten die ostdeutschen Kommunisten nichts wissen. Sie hatten Angst vor der eigenen Bevölkerung. Aber die

Michail Gorbatschow

1 bestrafen: Wenn eine Person etwas Böses tut und man ihn dabei sieht bzw. „erwischt", wird sie bestraft.
2 etwas heilen: etwas gesund machen, wieder gut machen
3 Wunde die, -n: Verletzung

4 Kalte Krieg der (Sg.): der jahrzehntelange ideologische und wirtschaftliche Konflikt zwischen den kommunistischen und den westlich-kapitalistischen Ländern
5 Eiserne Vorhang der (Sg.): So nannte man die stark gesicherte Grenze zwischen den kommunistischen und den westlich-kapitalistischen Ländern.
6 Gewerkschaft die, -en: Arbeiterorganisation

1 **Sehen Sie die Fotos an und sprechen Sie im Kurs: Was ist passiert? Was wissen Sie über diese Ereignisse?**

2 **Lesen Sie den Text und ergänzen Sie: Welche drei Entwicklungen haben den Fall der Berliner Mauer möglich gemacht?**

1. Anfang der 1980er-Jahre: ____________________
2. 1985: ____________________
3. 1989: ____________________

meisten Ostdeutschen wollten mehr Freiheit. Sie wollten überallhin reisen können.

Nach dem Mauerfall tanzen die Menschen auf der Mauer.

Dann kam 1989, das Jahr der Wende[7]: Ab Anfang September demonstrierten immer
50 mehr DDR-Bürger Woche für Woche gegen die Unfreiheit. „Wir sind das Volk!", riefen sie auf den sogenannten „Montagsdemonstrationen". Am Abend des 9. November 1989 war es endlich so weit. Die Regierung der DDR musste die
55 Berliner Mauer öffnen. An diesem Tag kamen Tausende DDR-Bürger zum ersten Mal in ihrem Leben in den Westteil der Stadt. Die Stimmung war wie bei einem wunderbaren Fest und jeder fühlte: Jetzt ist die schreckliche
60 Zeit der Teilung Deutschlands vorbei!
Für Chris Gueffroy kam der Mauerfall leider zu spät. Am 6. Februar 1989 wollte der 20-jährige Ostberliner über die Mauer in den Westen. DDR-Grenzsoldaten sahen das und schossen
65 auf den jungen Mann. Er starb, verblutete neun Monate vor dem Fall der Mauer. Chris Gueffroy war der letzte Mauertote.

7 Wende die (Sg.): friedliche Revolution und das Ende des Sozialismus in der DDR

Die Kreuze erinnern an die Mauertoten.

Wörter zum Thema

Mauer die, -n
Mauer-
Mauerfall der (Sg.)
Mauertote der / die, -n
Grenze die, -n
Freiheit die, -en
Präsident der, -en / Präsidentin die, -nen
Politik die (Sg.)
Demokratie die (Sg.)
Bevölkerung die (Sg.)
Bürger der, - / Bürgerin die, -nen
DDR-Bürger der, - / DDR-Bürgerin die, -nen
Wende die (Sg.)
Volk das, ¨-er
Demonstration die, -en
Regierung die, -en
Teilung die, -en
Soldat der, -en

politisch
demokratisch / undemokratisch

reisen
demonstrieren gegen / für + Akk.

3 **Lesen Sie den Text noch einmal. Was meinen Sie: Was bedeuten die Sprichwörter und Zitate, wenn Sie an die Ereignisse von 1989 denken? Vergleichen Sie dann Ihre Ergebnisse.**

4 **Was haben Sie über Chris Gueffroy erfahren? Berichten Sie.**

5 **Gab / Gibt es bei Ihnen einen Politiker / eine Politikerin, der/ die – wie Gorbatschow für Deutschland – wichtig für die politische Entwicklung Ihres Landes war / ist? Gab es in Ihrem Land einen Menschen, der – wie Chris Gueffroy – in die Geschichte Ihres Landes eingegangen ist? Erzählen Sie.**

1 **Familie im Wandel**
2 a leben sie in einer Großfamilie. b Vater, Mutter und ein oder zwei Kinder. c nennt man sie „Single". d leben in einer kinderlosen Beziehung. e leben sie in einer Lebenspartnerschaft. f kümmern sich ohne Partner um ihr(e) Kind(er). g mit Kindern aus unterschiedlichen Beziehungen zusammen. h Sie sind ein gleichgeschlechtliches Paar.
3 a falsch b falsch c richtig d falsch e richtig f richtig g richtig

2 **Über Freunde und Kollegen**
1 b
2 a Winnetou, Jim Knopf und die Wilde 13 b Karl May, Michael Ende c Winnetou und Old Shatterhand, Jim Knopf und Lukas der Lokomotivführer
3 a besser als b Gegner c sie hassen sich d Partner e Kollegen

3 **Traumfrau / Traummann aus dem Internet**
2 a Abschnitt 3 b Abschnitt 4 c Abschnitt 2 d Abschnitt 1
3 a Zeile 47–48 b Zeile 60–62 c Zeile 25–29 d Zeile 7–10

4 **König Ludwig II. – ein Märchenkönig**
2 König Ludwig II., geboren 1845 im Schloss Nymphenburg bei München, gestorben 1886 im Starnberger See, in Schloss Linderhof, Schloss Neuschwanstein und Schloss Herrenchiemsee, Kunst, Musik und Schönheit
3 b, d, e, h, i

5 **Drei berühmte Kaffeehäuser**
2 Café Hawelka, in Wien, seit 1939, Schriftsteller und Intellektuelle; Grand Café Odeon, in Zürich, seit 1911, Schriftsteller und Künstler, junge Menschen; Café Kranzler, in Berlin, seit 1835, die „oberen Zehntausend" und Touristen
3 a Café Kranzler b Grand Café Odeon c Café Hawelka d Café Hawelka e Café Kranzler f Grand Café Odeon

6 **Friedensreich Hundertwasser**
2 Friedensreich Hundertwasser, Österreicher, geboren 1928, gestorben 2000, Künstler und Architekt
3 Fernwärmewerk Spittelau, in Wien, verbrennt Müll und produziert gleichzeitig Wärme für die Stadt, Anlage ist umweltfreundlich, neue Technik reduziert die Emissionen; Markthalle, in Altenrhein, man kann dort Lebensmittel kaufen. Man kann das Gebäude auch für eine Feier mieten, das Haus leuchtet in vielen Farben und auf dem Dach wächst Gras; Martin-Luther-Gymnasium, in Wittenberg, Schule, bunt, Dachterrassen, keine gerade Linien, viel Grün, jedes Stockwerk hat eines der vier Elemente zum Thema

7 **Was man so trägt: Mode von fünf Generationen**
2 a 1950 b 1920 c 1980 d heute e 1960
3 1920: praktische und bequeme Kleidung, Frauen tragen Hosen und kurze Röcke, 36% der Frauen arbeiten, Stoff ist teuer, Stil vom Sport übernommen, Klubjacke und Knickerbockers, Haare sind zu Bubikopf geschnitten; 1950: Caprihosen, Ballerinas, Twinsets, Petticoats, Nickituch um den Hals, Jeans, viele machen Urlaub in Italien oder Spanien, Mode aus amerikanischen Filmen übernommen, Jeans durften niemals neu aussehen; 1960: Minirock und bunte Kleider, Signal: Ich bin eine Frau und Symbol für Liebe und Frieden, Zeit der Hippies, sehr schlank („Twiggy"); 1980: Schulterpolster, Leggings und bauchfrei, Cocktailkleider, Sonnenbrillen von Ray Ban, Unisex-Mode ist in, Stil vom Sport übernommen, Marken sind wichtig; Heute: Stil-Mix, alles ist möglich. Mode wird auf der Hüfte getragen, Platz für Tatoos und Piercings an Bauch und Rücken, es gibt viele Wiederholungen von früher

8 **Schönheiten aus Deutschland**
2 a Heidi Klum b Karin Stilke c Claudia Schiffer
3 Heidi Klum: Berühmt geworden durch eine sehr bekannte amerikanische Zeitschrift für Sport, ihre Karriere begann bei einer Fernsehshow, hat eigene Produkte wie Schmuck, Süßwaren und Kleidung, moderiert die Casting-Show „Germany's next Topmodel"; Claudia Schiffer: Berühmt geworden durch die Zeitschrift „Elle" und durch den Modedesigner Carl Lagerfeld, wurde zufällig in einer Disco von einer Modelagentur entdeckt, Schiffer gab der

Modebranche eine neue Bedeutung: Models wurden Weltstars; Karin Stilke: Berühmt geworden durch wichtige Modezeitungen und die berühmtesten Modefotografen, ihre Karriere begann in Berlin auf der Straße, mit ihr begann die Geschichte der deutschen Topmodels

9 Zum Thema (Schul-)Kleidung

1 a Gottfried Keller b Schneider c gute Kleidung d reich e ein reiches Mädchen f die Dorfbewohner

2 b

3 a Zeile 29–34 b Zeile 44–46 c Zeile 48–55 d Zeile 67–72

10 MEDIZIN? Ja, aber ... NATÜRLICH!

2 Hildegard von Bingen: 1098–1179, Bingen am Rhein, Äbtissin, Mystikerin, Heilkundige, Komponistin und Naturforscherin; Maximilian Bircher-Benner: 1867–1939, Zürich, Arzt und Ernährungswissenschaftler; Samuel Hahnemann: 1755–1843, Mitteldeutschland, Leipzig, Arzt und Pharmazeut; Sebastian Kneipp, 1821–1897, Bad Wörishofen, Theologe und Naturheiler

3 a M. Bircher-Benner, b S. Kneipp, c S. Hahnemann, d H. von Bingen

11 Immer schneller? Oder doch wieder langsamer?

2 A Abschnitt 3 B Abschnitt 5 C Abschnitt 2 D Abschnitt 4 E Abschnitt 1

3 a Wie schnell sich die Menschen fortbewegen. b Moderne technische Geräte wie Laptop, Handy, Smartphone, BlackBerry, aber auch Flugzeuge, ICEs und schnelle Internetverbindungen. c Weil den Menschen immer häufiger die Zeit für Pausen und Entspannung fehlt, und das zum „Burn-out-Syndrom" führen kann. d Slow Food will, dass man sich mehr Zeit zum Essen nimmt. e Sie gehen zum Beispiel in ein Kloster, machen Meditationsreisen, Anti-Stress-Trainings, Holzfällerkurse oder hüten Kühe auf Schweizer Bergen.

12 Lachen ist gesund

2 a Abschnitt 3 b Abschnitt 4 c Abschnitt 2 d Abschnitt 3 e Abschnitt 1 f Abschnitt 2

3 a Weil Menschen, wenn sie lachen, mutiger und selbstbewusster werden. b Das ist nicht klar. c Eine Mischung aus einfachen Übungen zum Atmen und besonderen Lachübungen. Madan Kataria. d Weil die Hormone, die beim Lachen produziert werden, gut für die Gesundheit sind. e Hühner und Pferde. f Über 100.

13 Lebensmittel: Was gibt es wo?

1 b

2 a Abschnitt 5 b Abschnitt 3 c Abschnitt 2 d Abschnitt 4

3 a falsch b richtig c richtig d falsch e richtig f falsch g richtig h richtig

14 Unser tägliches Brot

2 a Er war ein Gesandter der Britischen Botschaft. Das Beste war für ihn das Brot. b Über 300. c Brötchen und Stangen. Es gibt sie in vielen Variationen. d Die Brezel. e 85 Kilogramm im Jahr. Kein europäisches Volk isst so viel Brot wie die Deutschen.

3 a Zum Leben braucht man mehr als etwas zu essen. b Sie müssen sparen. c Das machen wir jeden Tag. d Sie passt gut auf sich auf und lässt sich von anderen Leuten nicht ärgern. e Er hat eine feste Arbeit. f Man muss schwer arbeiten, wenn man sein Ziel erreichen will.

15 Sind die Deutschen Bierweltmeister?

2 a In Tschechien. b In den USA und in China. c Es sind kleine und mittelständische Betriebe. d Vier. e Sie exportieren es.

3 a Zeile 23–27 b Zeile 27–29 c Zeile 31–33 d Zeile 46–48 e Zeile 55–59

16 Als Gastschüler in Deutschland

1 a AFS hat Austauschschüler, die in Deutschland waren, eingeladen. b Weil AFS ihnen die Möglichkeit geben wollte, sich über ihren Aufenthalt als Gastschüler in Deutschland auszutauschen. c Was hat euch in Deutschland am meisten überrascht?

2 a Cou b Manuel c Fernanda d Nael e Fernanda f Li g Lucyna

17 Die Schulbank neben dem Arbeitsplatz: Über das duale Ausbildungssystem

2 16, Realschulabschluss, Maschinenbauer, 12, berufsbezogene Fächer wie Wirtschaftskunde und Mathematik, berufsübergreifende Fächer wie Kommunikation, Sozialkunde, Sport, Gesundheitsförderung und Religion, um 17 Uhr, drei Jahre
3 a Weil er nicht versteht, warum er als Maschinenbauer Deutsch lernen muss. b Weil es auch im Beruf wichtig ist, Dinge gut beschreiben zu können und über ihren Sinn nachzudenken. c Sehr gut. d Sie finden die Berufsschulausbildung zu allgemein und zu teuer. e Weil er sich durch den Besuch der Berufsschule weiterqualifiziert.

18 Kinder, Küche ... und Karriere?

1 a
2 A Abschnitt 3 B Abschnitt 4 C Abschnitt 2 D Abschnitt 1
3 a früher b heute c heute d früher und heute e früher f heute g (früher und) heute

19 Sonntag: Ruhe- oder Werktag?

3 a Abschnitt 3 b Abschnitt 2 c Abschnitt 5 d Abschnitt 1 e Abschnitt 4
4 a Kirchen- und Gewerkschaftsorganisationen. Weil sie Angst haben, dass der Sonntag immer mehr zum normalen Alltag wird. b Ärzte, Krankenschwestern und -pfleger, Rettungsdienste, Polizei und Feuerwehr müssen am Sonntag arbeiten, um Menschen zu helfen. Das gilt auch für Handwerker, Techniker, Fahrer von öffentlichen Verkehrsmitteln und Kellner. Bauern und Tierpfleger müssen sich am Sonntag um die Tiere kümmern. c Eine Entschädigung. Das kann Geld sein oder auch mehr Freizeit.

20 Was am Arbeitsplatz wichtig ist

2 a Markus S. b Sara M. c Stefan B. d Ursula T.
3 a die Wirtschaftslage im Land und in der Welt gut ist. b Mitarbeiter genug Informationen bekommen, um ihre Arbeit gut machen zu können. Außerdem sollte es die Mitarbeiter menschlich behandeln.

21 Wie man sich im Beruf höflich und korrekt verhält

2 a Abschnitt 4 b Abschnitt 5 c Abschnitt 2 d Abschnitt 6 e Abschnitt 3
3 a Geschäftsessen: Wer wo Platz nimmt, entscheidet die Gastgeberin / der Gastgeber. Setzen Sie sich erst, nachdem Sie dazu aufgefordert wurden. Bei der Auswahl eines Essens im Restaurant sollte man das nehmen, was die Gastgeberin / der Gastgeber empfiehlt. b Handy: Ihr Handy sollte in Meetings oder bei Geschäftsessen weder klingeln noch vibrieren. Falls Sie einen wichtigen Anruf erwarten, sagen Sie dies vorher und gehen Sie zum Telefonieren aus dem Zimmer. c Begrüßung: Sowohl Herren als auch Damen stehen auf. Man gibt sich die Hand. Der Ranghöhere reicht zuerst die Hand. Nie die andere Hand in der Hosentasche stecken lassen! d Kleidung: Eher konservativ. Herren: dunkler Anzug, hellblaues oder weißes Hemd und dezente Krawatte. Damen: Unauffällig kleiden, also weder kurze Röcke oder Kleider noch ärmellose Pullis und Blusen und tiefe Dekolletés, wenig Schmuck. e Anrede: Akademische Titel werden genannt. Doppelnamen sollten vollständig ausgesprochen werden.

22 Die Deutschen und ihr Geld: Ein „200 Jahre-Schnellkurs"

2 a sehr viele verschiedene Währungen. b gibt es in Deutschland nur noch eine Währung: 100 Pfennig = 1 Mark. c gibt es in 12 europäischen Ländern eine gemeinsame Währung: 100 Eurocent = 1 Euro.
3 a 1992 b 1900 c 1990 d 1800 e 1949-1989

23 Geld im Alltag

2 A Abschnitt 5 B Abschnitt 1 C Abschnitt 3 D Abschnitt 6 E Abschnitt 4 F Abschnitt 2
3 a falsch b richtig c richtig d falsch e falsch f falsch

24 Ohne Moos nichts los!

2 a, b, e Abschnitt 3 c Abschnitt 4 d Abschnitt 2
3 a durchschnittliches Sparguthaben b So viel geben Jugendliche für ihr Handy aus c durchschnittlicher Jahresbetrag, den Jugendliche zur freien Verfügung haben

4 a sein Geld schnell ausgeben b wenn etwas viel kostet c wenn jemand Geld für nicht unbedingt Notwendiges ausgibt d sich etwas kaufen können, sich etwas gönnen, sich etwas Gutes tun

25 Müllers Müll

2 b Altpapiercontainer c Altglascontainer d Gelber Sack e Sondermüll f Restmüll
3 a abgeholt wird: Biomüll, Altpapier, der Gelbe Sack, Restmüll; selbst wegbringen müssen Müllers: Altglas, Sondermüll b Wiederverwertung von Müll: Aus Biomüll wird frische Erde, aus Altglas neues Glas, aus Altpapier neues Papier. c Die Blaue Tonne ist dasselbe wie der Gelbe Sack.

26 Wind im Aufwind

2 a Weil sie nicht schön aussehen, die Landschaft kaputt machen und sehr laut sind. b Sie wurden von der Erfindung der Dampfmaschine abgelöst und der damit beginnenden Energiegewinnung durch Kohle und Erdöl. c Weil diese Form der Energiegewinnung für die Menschen und die Umwelt sehr riskant ist. d Bis 2030 soll mindestens ein Viertel des gesamten Stroms aus Windkraftwerken kommen. Außerdem sollen Offshore-Windparks gebaut werden. e Sehr wichtig: Denn die Windenergie schafft viele Arbeitsplätze. Außerdem ist die Nachfrage nach Windkraftwerken aus Deutschland sehr hoch. f Sachsen-Anhalt
3 a 150, 200 000, 30 000 b mehr als 21 000 c 9, 20 d 2030 e 400 000

27 Umweltpolitik in Deutschland

2 a Grünen Punkt b Nachhaltigkeit c Ökosteuer d Pfandpflicht e Atomausstieg
3 a richtig b falsch c richtig d falsch e richtig

28 Die Deutschen und ihr Urlaub

2 A Abschnitt 4 B Abschnitt 5 C Abschnitt 1 D Abschnitt 2 E Abschnitt 3
3 a Zeile 18–20 b Zeile 74–76 c Zeile 69–72 d Zeile 3–5 e Zeile 48–49 f Zeile 45–47 g Zeile 5–6

29 Wien und das Wiener Lebensgefühl

1 Sehenswürdigkeiten: Gebäude des Wiener Jugendstils, Wiener Kaffeehaus, Burgtheater, Spanische Hofreitschule, Hotel Sacher, Schloss Schönbrunn, Hundertwasser-Haus, Prater (mit Riesenrad), Stephansdom; berühmte Leute: Haydn, Mozart, Beethoven, Schubert; Einwohnerzahl: 1,7 Mio.; Wahrzeichen: Stephansdom; Umgebung: hügelige Landschaft im Westen, Wiener Wald; Fluss: Donau
2 a Es symbolisiert einen Teil des typischen Wiener Lebensgefühls: die große Lust am Leben, den Wein, das gemütliche Zusammensein, die Schrammelmusik, die sentimentalen Lieder. b Es symbolisiert den anderen Teil des typischen Wiener Lebensgefühls: den Zweifel am Sinn des Lebens, den schwarzen Humor, das Makabre. c Wien liegt an mehreren kulturellen Grenzen. Dort leben sehr viele unterschiedliche Kulturen zusammen, die für Vielfalt, aber auch für Spannung sorgen.

30 Berlin

2 a Vermutlich, weil sich in Berlin viele verschiedene Menschengruppen und Kulturen gemischt haben, und jede Volksgruppe ihren eigenen Humor mitgebracht hat. b Deutschland war lange Zeit in viele kleine Länder aufgeteilt mit ihren eigenen Hauptstädten und ihren eigenen Stimmen. Erst 1871 wurde Berlin Hauptstadt von ganz Deutschland und damit die „wichtigste“ Stadt. Dadurch entstand bei den Nicht-Berlinern der Eindruck, Berlin und die Berliner seien zu laut. c Vielleicht, weil die vielen Unterschiede und Widersprüche auch zu vielen Problemen führen und die Berliner dagegen ihr eigenes Rezept entwickelt haben, nämlich: direkt und deutlich ihre Meinung zu sagen.
3 1. Berlin verfügt über viele Grünflächen: Parks, Wälder, Gärten. 2. Berlin ist eine Stadt des Wassers: Es gibt 50 große und mehr als 100 kleine Seen, zwei große und drei kleinere Flüsse. 3. Berlin beherbergt auch viele seltene Pflanzen- und Tierarten.

31 Freie Fahrt für freie Bürger

2 Der sympathische Arzt Dr. Jekyll hat ein Medikament erfunden: Wenn er dieses einnimmt, verwandelt er sich in den schrecklichen Mr. Hyde, der am liebsten Böses tut. Auch sympathische Deutsche verwandeln sich in einen Mr. Hyde, wenn sie hinter dem Lenkrad sitzen: Sie ärgern, fluchen und beschimpfen andere Autofahrer. Allerdings verwandeln sie sich meist wieder zurück, wenn sie ihr Auto verlassen haben.
3 a 46 Millionen, 12 000 b 8000 c 3600, 370 000 d 82 Millionen, 850 000
4 Probleme: viele Unfälle mit Toten und Verletzten, Ozonalarm in den Städten, viele Ressourcen werden verbraucht, die Landschaft wird zerstört

32 VW Golf

1 a Es gab Skandale in der Politik: den Watergate-Skandal, die Guillaume-Affäre. Außerdem begann bereits im Oktober 1973 die Ölkrise.
b Weil sie nicht wissen, welches Auto sie kaufen sollen.
3 Golf (erste Generation): Motor ist vorne, wassergekühlt, stärker, verbesserter Fahrkomfort, großer Kofferraum, praktische Heckklappe, Golf GTI: 110 PS, 180 km/h Spitzengeschwindigkeit, Golf Cabrio: das Dach kann geöffnet werden, Golf II: größer und runder, Golf III: noch größer, Airbags für Fahrer und Beifahrer
4 Weil der Golf viel Fahrkomfort bietet, sich durch ein sportliches Design (GTI) auszeichnet, praktisch ist, und den Geschmack vieler verschiedener Menschen trifft.

33 Deutschlands größter Flughafen: Frankfurt Airport

1 Weil immer mehr Menschen beruflich viel unterwegs sind oder einfach nur verreisen wollen, und die Flugtickets billiger geworden sind.
2 Name: Frankfurt Airport, Beschäftigte: 71 000, Flüge täglich: über 1300, Zielländer: mehr als 100
3 Gründe für den Erfolg: gute Verkehrsanbindung, keine Parkprobleme, problemloses Umsteigen vom Zug ins Flugzeug und vom Flugzeug in den Zug, Nachteile des Erfolgs: hohe Luftverschmutzung, viel Lärm, gesundheitliche Probleme für die Anwohner, Umweltzerstörung

34 Wofür engagieren sich Jugendliche in ihrer Freizeit?

1 a stimmt nicht, b stimmt
2 Pia gibt regelmäßig kostenlosen Nachhilfeunterricht bei der Initiative „Schüler helfen Schülern“. Sie findet, dass das eine sinnvolle Tätigkeit ist, die anderen hilft, und auch ihr selbst nützt. Timo schreibt in der Schülerzeitung und vernetzt sich im Internet mit anderen. Dadurch will er sich auch für einen späteren Beruf qualifizieren. Sandra engagiert sich in der Nachbarschaftshilfe und hilft alten Leuten. Sie könnte sich vorstellen, als Altenpflegerin zu arbeiten. Tim engagiert sich in seinem Jugendclub und organisiert Veranstaltungen, Filme und Partys. Er findet das sinnvoll. Steven engagiert sich in seinem Fußballverein und organisiert Ausflüge, Feste, oder er trainiert die Jüngeren. Zusätzlich betreut er die Webseite des Vereins. Das macht ihm viel Spaß.

35 Eine Nation greift zum Schläger

2 Den Deutschen Tennis Bund gibt es seit 1902. In den 1980er- und 1990er-Jahren gab es einen regelrechten Tennisboom in Deutschland. Der Grund dafür war der Wimbledon-Sieg von Boris Becker. Deutsche Tennisstars waren Boris Becker, Steffi Graf und Michael Stich. Mitgliederzahlen in Tennisvereinen: 1980 eine Mio., 1990 zwei Mio., heute über 1,6 Mio. Mitglieder. Die Stunden, die im Fernsehen über Tennis berichtet wurde, sind von 13 Stunden im Jahr 1984 auf mehr als 2700 Stunden im Jahr 1992 gestiegen.

36 Achtung, fertig, los!

1 (1) Start, (2) Runde, (3) Boxenstopp, (4) Rennen, (5) Comeback
2 a 1969: Schumacher wird in der Nähe von Köln geboren b 1994: Er wird zum ersten Mal Weltmeiser in der Formel 1, hat aber auch einen schweren Unfall. c 1996: Schumacher wechselt zu Ferrari d 2000-2004: Mit Ferrari gewinnt er fünfmal hintereinander den Weltmeistertitel.

e 2006: Schumacher hört auf, Rennen zu fahren f 2010: Er feiert sein Comeback und startet mit seinem Teamkollegen Rosberg für Mercedes.
3 a Er ist glücklich verheiratet und hat zwei Kinder. Als vielfacher Millionär hat er ein Traumhaus in der Nähe des Genfer Sees. b Die Deutschen bewundern seine Disziplin, Bescheidenheit und Hilfsbereitschaft, und natürlich auch, dass er so erfolgreich ist.

37 Feste feiern – rund ums Jahr

A Abschnitt 2, B Abschnitt 3, C Abschnitt 1, D Abschnitt 4
2 a Brezel und Schere – Maifest – Handwerk b die 24 Fenster – Weihnachten – Tage bis Weihnachten c Hufeisen, Kleeblatt, Schwein und Schornsteinfeger – Silvester – Glück d die bunten Eier – Ostern – Frühling und neues Leben e Kirchenglocken und Feuerwerk – Silvester – Begrüßung des neuen Jahres

38 Small Talk

1 Als Small Talk bezeichnet man eine nette, leichte Unterhaltung mit einem meist fremden Menschen, den man z.B. auf einer Party trifft.
2 a ein Gespräch beginnen: Blickkontakt herstellen, auf den anderen zugehen, begrüßen, sich vorstellen, nach dem Namen der anderen Person fragen, offene W-Fragen stellen; b ein Gespräch beenden: sich für die Unterhaltung bedanken und z.B. sagen, dass man jemand anderen gesehen hat und mit dieser Person jetzt gerne sprechen möchte; c gute Gesprächsthemen: das Wetter, der Ort der Party, Beruf oder Ausbildung, Urlaub, Freizeit, Sport, persönliche Interessen wie Film, Musik, Theater; d schlechte Gesprächsthemen: Politik, Religion, Gehalt, sehr private Themen, z.B. Krankheiten, Liebesprobleme

39 Die fünfte Jahreszeit

2 a Abschnitt 3 und 5 b Abschnitt 6 c Abschnitt 7 d Abschnitt 2 e Abschnitt 4 f Abschnitt 6 g Abschnitt 1 h Abschnitt 6
3 a Masken und Kostüme. b Am 11.11. um 11 Uhr 11. c Man streute sich Asche auf den Kopf. Heute nimmt man eine Kopfschmerztablette. d „Abschied vom Fleisch". e Nicht gut, aber sie toleriert ihn. f Am Rosenmontag. In Düsseldorf, Köln und Mainz. g Die fünfte Jahreszeit, Fastnacht und Fasching. h Der letzte Tanz, bevor der Karneval zu Ende geht. Am Faschingsdienstag, kurz vor Mitternacht.

40 Bravo, eine deutsche Jugendzeitschrift

1 Bravo ist die größte deutschsprachige Jugendzeitschrift. Sie erscheint wöchentlich seit 1956, zunächst im Heinrich Bauer Verlag, seit 1968 im Münchner Bauer Media Verlag. Knapp 400 000 Leser zwischen 10 und 19 Jahren kaufen Bravo wöchentlich, 60% davon sind weiblich.
2 Bravo greift die Wünsche, Sehnsüchte, Unsicherheiten und Ängste von Jugendlichen auf, das Dr.-Sommer-Team beantwortet Fragen und Probleme der Jugendlichen, die Zeitschrift enthält neueste Informationen aus der Welt der Stars und Models sowie Werbung, die den Jugendlichen die aktuellsten Trends aufzeigt, inzwischen gibt es mehrere Bravo-Zeitschriften und Internet-Portale.

41 Sonntagabend, 20 Uhr 15, Erstes Programm

2 a 1970: Sendung der ersten TATORT-Folge b 12: Früher wurden zwölf TATORT-Krimis pro Jahr produziert. c 800: Anzahl der TATORT-Fälle insgesamt d 90: so viele Minuten dauert ein TATORT e 9 Mio.: Anzahl der Zuschauer pro TATORT
3 Die TATORT-Kommissare haben sich in den letzten Jahrzehnten vom väterlichen Beamtentyp über einen undisziplinierten Einzelkämpfer bis hin zu einer nachdenklichen Kommissarin entwickelt. Jeder TATORT spielt an einem anderen Schauplatz, jede Region hat ihren eigenen Kommissar / ihre eigenen Kommissare.

42 Made in Germany

2 J. Gutenberg: Buchdruck, 1440 K. Zuse: Computer, 1941 J. Dethloff: Chip, 1977 Fraunhofer-Institut: MP3-Player, 1987
3 Buchdruck: Bücher können in Massenproduktion hergestellt werden. Computer: Beginn des digitalen Zeitalters, Kommunikations- und Informationsmedium in fast allen Lebensbereichen Chip: Bezahlen ohne Bargeld. MP3-Player: Lieder können gespeichert und überall mit hingenommen werden.

43 Einigkeit und Recht und Freiheit ...

1 Um die deutsche Nationalhymne.
2 a 1841: Fallersleben schreibt das „Lied der Deutschen". b 1922: Das „Lied der Deutschen" wird zur offiziellen Nationalhymne. c 1945: Die alliierten Siegermächte verbieten die Hymne. d 1952: Bundeskanzler Konrad Adenauer singt die dritte Strophe auf einer Veranstaltung in Berlin. Die dritte Strophe des Deutschlandliedes gilt seither wieder als Nationalhymne. e 1990: Die dritte Strophe des Deutschlandliedes wird zur Nationalhymne für ganz Deutschland.
3 Weil die erste Strophe heute an die Ideologie des Nationalsozialismus erinnert, und die zweite Strophe von überholten Klischees über Frauen, Treue und Gemütlichkeit handelt.

44 Die Mauer, Teil 1

1 Wann wurde sie gebaut: 13. August 1961. Wo wurde sie gebaut: zwischen dem westlichen und östlichen Teil Berlins. Warum wurde die Mauer gerade dort gebaut: Damit die Leute aus dem Ostteil der Stadt nicht in den Westteil flüchten konnten. Wie lange gab es sie: mehr als 28 Jahre, von 1961–1989
2 a Deutschland war geteilt. b Es gab die amerikanische, die britische und die französische Zone (= der Westen), und die sowjetische Zone (= der Osten). c Weil Berlin als Hauptstadt ebenfalls in Zonen aufgeteilt war. Dabei bildeten die amerikanische, britische und französische Zone Westberlin, und die sowjetische Zone Ostberlin.

45 Die Mauer, Teil 2

2 1. Anfang der 1980er-Jahre: das politische Klima verbessert sich, erste demokratische Entwicklungen in Polen 2. 1985: Michail Gorbatschow wird Präsident der Sowjetunion und macht demokratische Veränderungen möglich. 1989: die Montagsdemonstrationen der DDR-Bürger
4 Chris Gueffroy war der letzte Mauertote. Er starb am 6.2.1989 mit nur 20 Jahren.

Cover: © Postkartenständer: A1PIX-Your Photo Today/ Gerolf Nießner; linke Reihe von oben nach unten: Boxenstopp: © bildstelle/uwe kraft; Café Odeon: © laif/ Justin Hession/Keystone Schweiz; Mauerbau: © SZ Photo; Himmel: © MEV; mittlere Reihe von oben nach unten: Feuerwerk: © fotolia/Smileus; Yoga: © fotolia/ vision images; Schloss Neuschwanstein: MEV/Michael Pohl; VW Cabrio: © Volkswagen Aktiengesellschaft; Euromünzen: © panthermedia/Uwe M.; rechte Reihe von oben nach unten: Werbung Electrolux: © bildstelle/Karl F. Schöfmann; Jugendlicher vor Graffiti: © iStockphoto/ kevinruss; Riesenrad Prater © panthermedia/Josef M.
Seite 4: von links nach rechts: © fotolia/Udo Kroener; © fotolia/Michael Kempf; © fotolia/Martina Berg; © fotolia/Anne Katrin Figge; © fotolia/Claus Mikosch
Seite 6: oben rechts: © action press, les archives du 7ème Art; Mitte rechts: © Karl-May-Verlag GmbH
Seite 7: linke Spalte: © Michael Ende „Jim Knopf und Lukas der Lokomotivführer“ © 1960 by Thienemann Verlag (Thienemann Verlag GmbH), Stuttgart/Wien Fotograf: Elmar Herr; rechte Spalte: © SZ Photo/Brigitte Friedrich
Seite 8: links oben: © panthermedia/Paul R.; Mitte rechts: © panthermedia/Werner H.
Seite 9: links oben: © panthermedia/Yuri A.; rechts oben: © iStockphoto/Neustockimages
Seite 10: oben links: MEV/ Michael Pohl; Mitte: © laif/ Archivio GBB; rechts: © iStockphoto/Vera Tomankova
Seite 11: links oben: © akg-images/Erich Lessing; rechts oben: © fotolia/Luftbildfotograf
Seite 12: Mitte links: © laif/Berthold Steinhilber; oben rechts: © laif/Justin Hession/Keystone Schweiz
Seite 13: © panthermedia/Toni Anett K.
Seite 14: A: © picture-alliance/IMAGNO/Sepp Dreissinger; B: © panthermedia/Matthias K.; C: © panthermedia/Frank W.
Seite 15: D: © panthermedia/Matthias K.
Seite 16: A: © Interfoto/Zill; B: © ullstein bild; C: © action press/REX PICTURES LTD.; D: © iStockphoto/kevinruss; E: © iStockphoto/belterz
Seite 18: links oben: © iStockphoto/webphotographeer; rechts oben: © panthermedia/Werner W.; Mitte rechts: © action press/CANY
Seite 19: © imago/Strussfoto
Seite 20: links oben: Illustration: Sybille Hein © Kindermann Verlag, 2004; Mitte links: © picture-alliance; rechts oben: © iStockphoto/Justin Horrocks
Seite 21: © iStockphoto/Chris Schmidt
Seite 22: Mitte links: © Heyne Verlag; rechts oben: © iStockphoto/MentalArt
Seite 23: links oben: © panthermedia/Jeannette A.; rechts oben: © panthermedia/Andreas M.
Seite 24: A: © fotolia/turi; B: © fotolia/vision images; C: © Deutsche Bahn AG/Claus Weber; D: © Slow Food Deutschland e.V.; E: © fotolia/GaToR-GFX
Seite 26: von links nach rechts: © iStockphoto/halbergman; © iStockphoto/fiburonstudios; © iStockphoto/ nyul
Seite 27: Zahnstocher: © fotolia/Janine Wittig; Igel: © fotolia/Sebastian Duda
Seite 28: Mitte links: © action press/BEXCLUSIVE/ CARSTENSEN; rechts oben: © irisblende.de; Mitte rechts: © panthermedia/Klaus S.
Seite 29: © irisblende.de
Seite 30: Mitte links und Mitte rechts: © MHV Archiv; rechts oben: © panthermedia/Stefan K.
Seite 31: links oben: © MHV Archiv; rechts oben: © panthermedia/Birgit R.
Seite 32: Mitte links: © panthermedia/Andreas S.; rechts oben: © panthermedia/Julián R.
Seite 33: links oben: © Archiv für Philatelie der Museumsstiftung Post und Telekommunikation/Gestaltung: Erwin Poell; rechts oben: © DIGITAL STOCK/G. Schierling
Seite 34: oben links: © AFS interkulturelle Begegnungen e.V./Peter Schnitzler, rechts oben: © fotolia/David Davis; Mitte rechts: © iStockphoto/asiseeit
Seite 35: links oben: © fotolia/Uwe Malitz; Mitte links und rechts oben: © fotolia/Jason Stitt; Mitte rechts: © iStockphoto/J. Bryson
Seite 36: links: © fotolia/Bernd Geller; rechts oben: © panthermedia/Fabrice M.
Seite 38: A: © Bundesarchiv/Rolf Unterberg/Signatur B 145 Bild-F001163-0007; B: © imago/Star-Media; C: © bildstelle/Karl F. Schöfmann; D: © OTTO (GmbH & Co KG)
Seite 40: links: © fotolia/Martina Berg; rechts: © MHV Archiv
Seite 41: © fotolia/mangostock
Seite 42: © picture-alliance/dpa-infografik
Seite 44: © panthermedia/Wavebreakmedia L.;
Seite 45: B: © fotolia/Lasse Kristensen C: © iStockphoto/CAP53
Seite 46: links: www:MA-Shops.com; rechts: © panthermedia/Herrmann Otto F.
Seite 47: © panthermedia/Uwe M.
Seite 48: A: © fotolia/Friedberg; B: © fotolia/contrastwerkstatt; C: © panthermedia/Daniel B.
Seite 49: D: © fotolia/somenski; E: © panthermedia/ Daniel H.; F: © irisblende.de
Seite 50: © fotolia/Gina Sanders
Seite 51: © irisblende.de
Seite 52: links oben: © fotex/westend61; links unten: © fotolia/Achim Banck; rechts oben: © fotolia/Gina Sanders; Mitte rechts: © fotolia/Martina Berg
Seite 53: links oben: © fotolia/Nik; Mitte links: © Bernhard Lang; rechts oben: © Pitopia/Peter Hennig
Seite 54: von links nach rechts: © fotolia/Uwe Lütjohann; © fotolia/contrastwerkstatt; © fotolia/Rebel
Seite 56: links: © fotolia/wladi; rechts: © fotolia/klick
Seite 57: links oben: © panthermedia/Ralf Kochems; Mitte links: © Der Grüne Punkt – Duales System Deutschland GmbH; rechts: © fotolia/jogi2
Seite 58: A: © MEV; B: Foto Kalender: MHV/ Katharina Kiermeir, Illustration Kalender: © Julia Echinger; Layout Kalender: Bayerisches Staatsministerium für Unterricht und Kultus; C: © fotolia/Kalle Kolodziej
Seite 59: D: © SZ Photo; E: © fotolia/Kzenon
Seite 60: links: © Spanische Hofreitschule/Herbert Graf; rechts: © fotolia/jomare
Seite 61: © panthermedia/Josef M.

Seite 62: links: © picture-alliance/Sven Simon; rechts: © dpa Picture-Alliance/S7 Photo
Seite 63: links: © panthermedia/Anja Kluge; rechts oben: © fotolia/Lars Büchel; Mitte rechts: © fotolia/gradt
Seite 64: Illustrationen: © Gisela Specht
Seite 65: links: © fotolia/Pixel; rechts: © fotolia/fotandy
Seite 66: A bis C: © Volkswagen Aktiengesellschaft
Seite 67: D und E: © Volkswagen Aktiengesellschaft
Seite 68: links: © imago/blickwinkel; rechts: © action press/Niehues
Seite 69: links oben: © picture-alliance/Bildagentur Huber/Lubenow; Mitte links: © bildstelle/Martin Moxter
Seite 70: links: © iStockphoto/pixelfit; rechts oben: © iStockphoto/DrGrounds; Mitte rechts: © iStockphoto/Tom Fullum
Seite 71: Mitte links: © iStockphoto/wbritten; rechts oben: © iStockphoto/pcross
Seite 72: oben: © action press/SPORTING PICTURES LTD unten: © Walter Hanel/Bestand Haus der Geschichte, Bonn;
Seite 74: links oben: © fotolia/Gina Sanders; Mitte links: © picture-alliance/Sven Simon; rechts oben: © bildstelle/uwe kraft
Seite 75: links oben: © bildstelle/Jörn Friederich; rechts oben: © Photoshot/EPA/SRDJAN SUKI
Seite 76: A: © iStockphoto/diephosi; B: © fotolia/sano7; C: © fotolia:/Smileus; D: © fotolia/Horst Schmidt
Seite 78: © Getty Images/Johner Royalty-Free
Seite 80: beide Fotos: © panthermedia/Salih K.
Seite 81: © panthermedia/Irene L.
Seite 82: © Baur Media Group
Seite 85: von links nach rechts: © ullstein bild/Röhnert; © WDR/Michael Böhme; © NDR/Christine Schröder
Seite 86: links: © bildstelle/BAO; rechts: © action press/Erich Gutberlet
Seite 87: links: © Bruno Struif; rechts: © Fraunhofer IIS, Erlangen
Seite 88: © picture-alliance
Seite 89: © Interfoto/Prof.Mag. Michael Floiger
Seite 90: © SZ Photo
Seite 91: © VG Bild-Kunst, Bonn 2011/Thierry Noir
Seite 92: links: © picture-alliance/Wolfgang Mini; rechts: © Fotex/Horst Galuschka
Seite 93: links: © SZ Photo/Hans-Peter Stiebing; rechts: © imago/Marc Schüler